La littérature de la Révolution française

BÉATRICE DIDIER

ISBN 2 13 041850 3

Dépôt légal — 1re édition : 1988, juillet
© Presses Universitaires de France, 1988
108, boulevard Saint-Germain, 75006 Paris

INTRODUCTION

La Révolution française est presque toujours négligée dans les histoires de la littérature. Et j'y verrais plusieurs raisons. Brièveté, au total, de cette période qui ne dure guère que dix ans ? Situation en fin de siècle, et la littérature de la Révolution souffrirait, comme souffre tout le « préromantisme », des divisions scolaires ? Des raisons politiques ont été déterminantes cependant dans cette occultation. L'histoire littéraire s'est constituée à partir de la Restauration, c'est-à-dire à un moment où l'on essaie d'oublier la Révolution, de fermer la parenthèse, de reprendre le fil de l'Ancien Régime. Et cette littérature, si elle révulse l'idéologie dominante, ne satisfait pas non plus les artistes ; dans aucun des deux camps qui s'opposent alors — classiques et romantiques — elle ne peut susciter d'enthousiasme. Les tenants du classicisme n'aiment pas ses débordements ; les tenants du romantisme n'aiment pas son esthétique néo-classique et, de plus, le romantisme de 1830 en France est souvent ultra, comment goûterait-il les textes révolutionnaires ?

Même avec le recul du temps, les polémiques ne se sont pas taries, et l'on n'aborde pas l'étude de cette période avec le même détachement que celle d'autres époques. Parce qu'elle est essentiellement engagée, cette littérature suscite l'engagement du critique. Elle pose aussi des questions, et qui se ramèneraient à deux essentiellement entre lesquelles elle tient tout entière : qu'est-ce que la Révolution ?, qu'est-ce que la littérature ? Si l'on restreint la notion de littérature à celle des « chefs-d'œuvre » incontestables, on risque de n'en pas trouver une quantité sur une durée si brève. Mais ne faut-il pas remettre en cause la notion de chef-d'œuvre et d'auteur ? La littérature, ce peut être une œuvre collective ou un cahier de doléances, un discours politique, un article de journal, une chanson. Et c'est dans ces domaines que la Révolution apporte le plus, tandis qu'elle ne semble pas avoir donné de très grandes œuvres théâtrales, qu'elle guillotine le seul poète de l'époque : André Chénier. Nous optons donc pour une conception large des limites de la littérature. Nous devons aussi aborder l'autre question peut-être plus difficile encore. Y eut-il une Révolution ou plusieurs Révolutions finalement assez différentes qui se sont succédé à grande allure ? Faut-il dans notre livre n'étudier que les écrivains révolutionnaires et faire taire la voix de leurs victimes, ou bien les voix qui se font entendre en dehors, soit parce que les écrivains ont émigré, soit parce que paraissent sous la Révolution des œuvres souvent conçues avant elle et qui n'ont pas un rapport évident avec l'événement (par exemple *La Chaumière indienne* de Bernardin de Saint-Pierre en 1790). Une époque est une totalité, nous nous sommes refusée à séparer les révolutionnaires et les antirévolutionnaires, d'autant plus que, à la vitesse où vont les événements, le même écrivain a vite fait de changer de camp. Chénier, l'exemple même de la victime de la Révolution, a d'abord été son chantre *(Ode au Jeu de Paume)*. Nous entendons donc donner ici une vue, fût-elle rapide, de toute la littérature en France entre 1789 et même 1788, date des premiers mouvements révolutionnaires, jusqu'en 1799 et le coup d'Etat de Brumaire. Seuls ces critères de dates (même si l'on peut les discuter) nous semblent des points de repère précis et solides.

Si diverses soient les options prises pendant cette période, si différents soient aussi les écrivains par leur

origine sociale, par leur âge — les derniers encyclopé-
distes sont vieux, la génération de Laclos et de Sade
arrive à la maturité, une nouvelle génération née entre
1760 et 1790 va avoir aussi l'occasion de s'exprimer —
c'est bien l'événement qui crée un lien entre tous. Ils le
suscitent ou ils le subissent, ils ne peuvent l'ignorer. La
rapidité et la violence des actes interpellent tous ceux
qui vivent alors d'une vie qui, bientôt, devient pré-
caire, menacée. Dans la production littéraire, le rapport
entre l'individu et le groupe n'est plus ce qu'il était auparavant ni ce qu'il sera ensuite. Certes, vont avoir à
prendre la parole de fortes individualités, et quelle que
soit l'importance déterminante des mécanismes économiques, que nous n'avons pas à étudier ici, la Révolution
a été aussi le fait d'un certain nombre d'individus ;
mais le développement des clubs, les journaux et surtout
les manifestations dans la rue vont donner l'occasion
de s'exprimer à des groupes. Et des groupes qui jusque-là
n'avaient guère eu l'occasion de le faire en tant que
tels : le peuple, les femmes.

Cette littérature de dix années est si abondante qu'il
est assez embarrassant d'en donner une idée qui ne soit
pas trop sommaire, dans l'espace restreint de ce livre,
embarrassant d'ordonner une matière aussi foisonnante.
Nous risquerons d'abord quelques vues générales, puis,
pour faciliter le classement, nous reprendrons une sub-
division par genres littéraires qui pourrait sembler d'une
autre époque, si l'on oubliait qu'en fait, et si grand soit
le bouleversement, l'esthétique révolutionnaire demeure
dans la continuité du classicisme et que, partant, la
notion de genre littéraire y reste pertinente. Les genres
traditionnels, poésie, théâtre, roman, se portent bien, du
moins si l'on en juge par l'abondance des productions ;
l'urgence de leur renouvellement est cependant plus sensible encore qu'il ne l'a été au cours du siècle, urgence
que ressent parfois davantage le lecteur moderne que
l'écrivain d'alors — à quelques notables exceptions près.

Les deux registres vraiment neufs et féconds, ce sont l'éloquence et le journalisme, c'est-à-dire ceux qui sont le plus engagés dans l'événement. Se développent aussi ces diverses formes d'écriture du moi appelées à une grande extension au XIXe siècle : journaux, mémoires, autobiographies, où s'exprime la difficile confrontation de l'individu et de l'Histoire.

Chapitre Premier

L'ÉCRIVAIN, LE POUVOIR
ET LE PEUPLE

Situation de l'écrivain. — On ne peut dissocier 1789 de l'effervescence qui précède. Les Philosophes sont lus et commentés avec ferveur. « J'ai entendu Marat en 1788, lire et commenter *Le Contrat social* dans les promenades publiques, aux applaudissements d'un auditoire enthousiaste », note Mallet du Pan. Des textes importants, tels ceux de Mably, paraissent seulement lors de la Révolution, et n'en ont que plus d'effet. La Révolution américaine a suscité toute une littérature, et Beaumarchais en fournissant des armes aux « Insurgents » a le sentiment de faire à la fois une bonne affaire et une bonne action. Le théâtre est le lieu de bien des audaces que la censure ne parvient pas à endiguer (*Le Mariage de Figaro* en est l'exemple). Les clubs ont un rôle important. Dès 1786, Brissot fonde la Société des Noirs. Les loges maçonniques sont actives. Les études de R. Darnton ont montré également le rôle de la « Bohème littéraire » dans les mouvements prérévolutionnaires. Avec la Révolution, le nombre de ceux qui écrivent s'accroît considérablement. Les hommes politiques deviennent, avec un bonheur inégal, hommes de lettres, et les écrivains deviennent des hommes politiques. Au Club des Jacobins siègent La Harpe, Marie-Joseph Chénier ; Laclos s'occupe d'établir des relations entre le Club des Jacobins et les clubs de province.

L'écrivain réclame un certain nombre de droits, et d'abord celui de s'exprimer. Déjà un vent de libéralisme soufflait avant 1789. Malesherbes, comme ses amis les Philosophes, avait réclamé cette liberté fondamentale, et les cahiers de doléances expriment souvent cette revendication. La liberté de presse fut illimitée du 14 juillet 1789 au 10 août 1792, malgré quelques vaines tentatives de réglementation par la Commune de Paris, et divers projets de lois (mais la loi Thouret, 23 août 1791, sur les délits de presse n'était pas appliquée). Après août 1792, on assiste à une disparition de la liberté de presse, d'abord de fait, puis de droit (loi du 4 décembre, du 23 mars 1793). La guerre civile et extérieure entraîne des lois d'exception (arrestations de nombreux journalistes). Une fois terminée la Terreur, la presse reprend une certaine liberté. Mais on redoute que la presse royaliste relève la tête ; aussi la Constitution de l'an III est-elle prudente ; cependant une liberté de fait est rétablie, sous réserve de multiples tracasseries qui, écrit J. Godechot, « n'empêchèrent pas la presse d'être à peu près libre de juillet 1794 à septembre 1797 ». Le Directoire pratiquera une politique répressive, et « la liberté de presse était morte, avant même que Napoléon prenne le pouvoir » (J. Godechot).

La Révolution, si elle a suscité l'écriture, est cependant responsable de la mort d'un certain nombre d'écrivains, et non des moindres : André Chénier, Condorcet, Chamfort et bien d'autres. Beaucoup émigrèrent. La Révolution voulut mobiliser à son service poètes, dramaturges, musiciens et peintres. Autant la littérature engagée (et que cet engagement aille dans le sens de la Révolution ou contre elle) produit des chefs-d'œuvre, autant la littérature dirigée est guettée par la froideur et l'académisme. Encore la limite entre littérature engagée et littérature dirigée est-elle parfois difficile à percevoir, lorsque la guillotine menace.

Les Cahiers de doléances. — Dans cette vaste prise de parole, il convient de faire place à des catégories nouvelles qui jusque-là ne s'expriment pas en tant que groupes : le peuple, les femmes. La rédaction des Cahiers de doléances est un phénomène littéraire autant que politique. Certes, il ne faut pas se laisser entraîner à des vues simplistes sur le peuple-écrivain. Dans les campagnes, c'est souvent le curé ou un homme de loi qui écrit, mais il se fait l'écho des demandes des paysans, tandis que dans les villes les cahiers sont rédigés par la bourgeoisie qui ne se soucie guère des ouvriers. Notons cependant l'existence d'intéressants cahiers de corporation. Dans leur grande variété d'origine et leurs divergences, mais aussi dans un certain nombre de constantes, les cahiers manifestent, en général, la pureté, la clarté d'une langue qui n'est pas exactement le langage du peuple, mais qui est le plus souvent le fait de scripteurs qui ne sont pas des écrivains de métier. Il y eut des Cahiers de doléances de corporations de femmes.

Les femmes ont participé activement aux premières journées révolutionnaires. En janvier 1790, Théroigne de Méricourt fonde (avec Romme et Lanthenas) le Club des Amies de la Loi ; en février 1790, Dansard fonde la Société fraternelle des patriotes de l'un et l'autre sexe. Etta Palm crée la Société patriotique et de bienfaisance des Amies de la Vérité. Condorcet avait réclamé pour les femmes les droits politiques et, en juillet 1791, Olympe de Gouges publie *Les Droits de la femme et de la citoyenne*. Cependant, la Révolution qui avait d'abord permis aux femmes de s'exprimer en tant que groupe pouvant avoir un rôle politique, va, au total, se montrer fort répressive envers elles. Théroigne de Méricourt est arrêtée. L'année 1793 sera très sombre : la Constitution les exclut des droits politiques, les clubs de femmes sont dissous ; Olympe de Gouges et Mme Roland sont exécutées. La réaction thermidorienne ne sera pas féministe, loin de là.

9

Le bilan serait donc fort négatif, s'il ne restait, ce qui nous intéresse précisément ici, les textes. Les femmes écrivaient certes avant la Révolution ; celle-ci a sur-excité leur production et dans des secteurs où jusqu'ici elles s'étaient rarement exprimées. En se surpassant dans le domaine du roman noir, du roman sentimental, de l'élégie ou de la romance, elles ne font que pour-suivre une tradition ; mais en écrivant des pamphlets politiques ou des pièces de théâtre, elles innovent, et nous les retrouverons à plusieurs reprises, en particulier Olympe de Gouges qui laisse à la fois une œuvre poli-tique et du théâtre. Mme de Staël lutte pour les idéaux de la première Révolution, et intercède pour défendre la reine ; elle travaille sous le Directoire à la réconciliation des partis, ce qui la fait mal voir du pouvoir.

De nouveaux lecteurs ou auditeurs. — Si les cabinets de lecture sont encore peu nombreux, en revanche, les colporteurs firent beaucoup pour la diffusion des œuvres à notre époque. L'abbé Barruel accuse « ces marchands forains qui courent les campagnes » d'avoir été « les agents du philosophisme auprès de ce bon peuple ». Barruel est terrifié par l'idée d'un complot ; mais d'au-tres témoignages sur l'importance du colportage sont plus sereins : Malesherbes ou S. Mercier. La Révolution française donnera toute liberté au colportage. Ces mar-chands ambulants diffusent des ouvrages de vulgarisa-tion inspirés par les Philosophes, des romans ; « trois genres particulièrement populaires à la fin du XVIIIᵉ siè-cle contribuèrent, parmi les publications de colportage, à multiplier l'audience de la pensée philosophique et révolutionnaire : les "civilités", les almanachs et les chansonniers » (A. Soboul). Citons *Civilité républicaine, contenant les principes de la bienséance, puisés dans la morale et autres instructions à la jeunesse*, an VII. Parmi les almanachs les plus importants : *L'Almanach du Père Gérard* de Collot d'Herbois (1792) auquel s'oppose, antirévolutionnaire, *L'Almanach de l'abbé Maury* ; parmi les chansonniers : *Le Chansonnier patriote* (1792), *Le Chansonnier de la Montagne* (1793), qui diffusent chansons et hymnes patriotiques.

Dans cette diffusion des idées révolutionnaires, un phénomène a eu une grande importance, à une époque où une partie du peuple est illettrée, la lecture publique dans les sections révolutionnaires, sur les places publiques, dans les chantiers. Notons enfin un progrès de l'alphabétisation, mais avec toutes les nuances qu'il convient, car il faut rappeler que ce progrès avait été amorcé avant la Révolution, et que d'autre part celle-ci n'eut pas toujours le temps de mener une action en profondeur et de longue haleine : « Les lois scolaires de la Convention n'ont eu ni les moyens ni le calendrier de leurs ambitions » (F. Furet et M. Ozouf). Voir cependant *infra*. La lecture publique était donc d'un effet plus immédiat que ce lent travail d'alphabétisation des Français qui se poursuit à cette époque.

La Révolution et la langue française. — La Révolution fit prévaloir le français, à la fois par rapport au latin et par rapport aux patois. Après la rédaction des Cahiers de doléances, la multiplication et la diffusion des journaux, la chanson, les grandes fêtes y contribuèrent, mais aussi une politique scolaire. Sous la Constituante, Talleyrand réclamait que l'on enseigne en priorité aux enfants « les principes de la langue nationale ». Sous la Législative, le projet Condorcet va dans le même sens. Le progrès du français dans les collèges semble alors une victoire de la laïcisation. Le rapport de l'abbé Grégoire (mai-juin 1794) préconise l'uniformisation de la langue et la suppression des patois. La Convention charge le Comité d'instruction publique de rédiger un rapport pour une nouvelle grammaire. Le français est le symbole de l'unité nationale. Les dialectes sont considérés comme « le dernier anneau de la chaîne que la tyrannie (...) avait imposée » (mais le jacobinisme est aussi une tyrannie qui travailla à la destruction des langues minoritaires et au centralisme). Malgré la brièveté de notre période, un paysan pouvait dire sous l'Empire à un enquêteur : « Depeu la Révolution, je commençon à francille esé bien. »

L'évolution générale du langage et du style sous la Révolution fut très critiquée (La Harpe, *Du Fanatisme dans la langue révolutionnaire*, Casanova, etc.). La Révolution n'a changé ni l'orthographe, ni la morphologie (quoique l'abbé Grégoire réclame une simplification des verbes irréguliers), ni la syntaxe. Elle a beaucoup enrichi le vocabulaire. Mots nouveaux correspondant à des institutions nouvelles (« juges de paix », « tribunal civil », « cour de cassation », « assemblée législative », « département », « préfet », « lycée », « école primaire », etc.), aux transformations du calendrier, du système des poids et mesures (décret du 8 mai-22 août 1790). L'abbé Grégoire (comme le fit Du Bellay) conseille le néologisme par dérivation, par emprunts aux langues étrangères. Des mots anciens se trouvent chargés de tout un réseau de significations nouvelles (« patrie », « liberté », « révolution »). Au total, beaucoup de mots nouveaux, et S. Mercier fera paraître en 1801 *Néologie ou vocabulaire des mots nouveaux, à renouveler ou pris dans des acceptions nouvelles.*

Le néologisme n'entraîne pas forcément la négligence grammaticale. Le style révolutionnaire a ses défauts : emphase, sensiblerie, surenchère de la violence et des superlatifs, clichés. Cependant, beaucoup d'orateurs sont fort soucieux de rigueur (Brissot accuse les jacobins d'ignorer la grammaire). Robespierre, s'il réagit contre le purisme qui lui semble élitaire (« Il n'y a rien de plus contraire aux intérêts du peuple et de l'égalité que d'être difficile sur le langage »), pratique cependant une langue fort correcte. On n'aura pas de peine, certes, à trouver dans les discours de certains orateurs ou journalistes des fautes de syntaxe ou des constructions embrouillées, mais ces textes ont été rédigés dans la fièvre et dans l'urgence. Cette fièvre et cette urgence font naître aussi des formules admirables de force et de générosité.

Théoriciens et grammairiens poursuivent leur travail. En 1790, Wailly donne une édition augmentée du *Dictionnaire des rimes* de Richelet. Des recherches nouvelles se font jour dans le domaine de la grammaire générale (U. Domergue, J.-E. Serreau, A. Sylvestre de Sacy) ou la grammaire pratique (Lhomond, Ch. Panckoucke, P.-F.-T. de Larivière). Arbogast et Pinel demandent une réforme du langage scientifique, Condorcet rêve d'une langue universelle qui procéderait comme l'algèbre. Cependant la Révolution n'entend pas laisser aux seuls spécialistes l'amélioration de la langue et Talleyrand demande aux bons citoyens de « concourir par leurs efforts à écarter de la langue française ces significations vagues et indéterminées si commodes pour l'ignorance et la mauvaise foi ».

Visées pédagogiques. — Voulant instaurer une ère nouvelle, la Révolution travailla activement à la transformation de la pédagogie. Certes, on peut rappeler que les progrès de l'enseignement primaire se poursuivent avant et après la Révolution, sans véritable discontinuité, que la Révolution n'a pas eu le temps ni les moyens de réaliser une véritable politique scolaire et, par exemple, d'élaborer de nouveaux manuels pour l'école, que les résultats sont plus appréciables, au total, dans le supérieur (création des Ecoles centrales, de l'Ecole normale). Il n'empêche que l'ambition pédagogique de la Révolution a d'évidentes incidences sur la production littéraire. Il y eut une grande quantité de textes, de projets de grand intérêt et souvent fort bien écrits (Condorcet, *Cinq Mémoires* ; *Rapport (...) sur l'instruction publique*, 1792 ; rapport de Talleyrand du 10 septembre 1791 ; projet Lakanal, juin 1793 ; essai

13

de Daunou en juillet ; projet Le Peletier, rapport de l'abbé Grégoire. Sous le Directoire : rapport de Daunou, travaux de F. de Neuf-château), des ouvrages suscités par les nouvelles grandes écoles, etc. L'action pédagogique de la Révolution ne se limite pas là. Elle change l'horizon d'attente de l'œuvre. L'enseignement est ouvert à tous, et tout doit devenir enseignement : la chanson, le théâtre, la fête. Il y a une sorte d'ivresse pédagogique et cette ivresse sous-tend une certaine conception de l'art et de la littérature.

Les arts. — Les liens entre littérature, arts plastiques, chorégraphie et musique furent particulièrement actifs à cette époque. Plus que jamais les artistes écrivent sur leur art. Ainsi les architectes utopistes (E.-L. Boullée, 1728-1799 ; Cl. Nicolas Ledoux, 1736-1806 ; J.-B. Lequeux, 1757-1825). Mais c'est en prison que Ledoux rédige *L'Architecture considérée dans le rapport de l'art, des mœurs et de la législation.* L'architecture elle-même se fait discours : elle parle, elle démontre comme l'éloquence révolutionnaire (Lequeux, « plan géométral d'un temple consacré à l'Egalité »).

Le grand peintre de cette époque, David (1748-1825), participe au discours de la Révolution par ses proclamations d'un style sobre et tendu comme sa peinture, quand elle exalte les idées et les héros de la Révolution (*Marat assassiné dans la baignoire*, 1793 ; *La Mort de Bara*). Sa peinture est éloquence (non sans quelque chose de « tendre et de poignant » que sentira bien Baudelaire ; cf. croquis de Marie-Antoinette conduite à l'échafaud). *Les Sabines* (Salon de 1799), par-delà ce rêve antique si présent aussi dans la littérature, expriment le désir de réconciliation de l'ultime phase de notre période. Enfin David a été le grand metteur en scène des fêtes de la Révolution.

Musique et littérature. — La Révolution a contribué à intensifier le lien originel de ces deux arts.
On ne saurait séparer M.-J. Chénier de Gossec.
Catel, Méhul, Chérubini, Lesueur, Rouget de Lisle,
Devienne ont collaboré avec des poètes. La musique
fut dirigée comme la littérature (cf. les *Mémoires* de
Grétry sur les méthodes du Comité de salut public).
La Révolution, qui fonda le Conservatoire (loi du
3 août 1795), était consciente du pouvoir de la musique
pour créer une émotion individuelle et collective. Elle
alla avec prédilection vers ces genres (chanson, hymne,
ode, opéra) où s'allient musique et parole : elle entend,
grâce aux mots, préciser la nature de l'émotion qu'elle
veut susciter. Elle recherche les effets de masse, et
développe les chœurs. Les passages d'orchestre eux-
mêmes prennent leur sens par rapport à eux. Encore
faut-il des instruments puissants (orgue, instruments à
vent).

La fête et la prison. — Ces fêtes où M. Ozouf a vu, à
juste titre, un remarquable « transfert de sacralité »,
sont peut-être un des aspects les plus intéressants de
l'art de la Révolution ; les poètes y collaborèrent autant
que les musiciens, et les peintres. On écrivit aussi beaucoup à propos d'elles (Boissy d'Anglas, *Essai sur les fêtes
nationales*, discours de Robespierre, etc.). Elles furent
nombreuses et diverses.

Les fêtes à l'Etre Suprême, organisées par Robespierre,
eurent un éclat tout particulier. La première eut lieu
le 20 prairial an II. Souvent les fêtes manifestent ce
syncrétisme religieux très caractéristique de cette époque, ainsi lors de la fête du 10 août 1792, la fontaine de
la Régénération s'élève place de la Bastille et une déesse
égyptienne y figure. Un décret de la Convention prévoit
des fêtes à la Nature, au « genre humain », à la Liberté,
à l'Egalité, à la Patrie.

La Révolution entend aussi se créer un passé et une

histoire ; elle commémore le 14 juillet 1789, le 10 août 1792, le 21 janvier 1793, le 31 mai 1793. Elle a ses héros, organise le 11 juillet 1791 une apothéose de Voltaire, le 25 décembre de la même année, à Montmorency, un cortège en l'honneur de Rousseau ; le 11 octobre 1794 les cendres de Rousseau sont transférées en grande pompe au Panthéon (ci-devant église Sainte-Geneviève). Les héros de la Révolution proprement dite eurent aussi leurs cultes. Il est enfin des fêtes plus familières (que peuvent organiser même les communautés villageoises) pour évoquer les divers âges de la vie et remplacer les fêtes chrétiennes ; elles célèbrent le mariage, l'amour filial ou paternel.

La réaction thermidorienne maintient les fêtes dont l'efficacité a fait ses preuves (cf. la Constitution de l'an III). Grandes fêtes sous le Directoire, en l'honneur des victoires (paix de Campoformio du général Hoche). Le 27 juillet, un cortège ramène en grande pompe des œuvres d'art prélevées en Italie. La fête est donc une constante de notre période, et on doit lui faire place, même si l'on n'oublie pas qu'elle a pour double sinistre la prison, la guillotine, ce monde des exclus et des victimes qui ont aussi leur modes d'expression, plus souterrains, parfois plus courageux (cf. *infra*).

Dans son désir d'instaurer un monde nouveau, la Révolution se doit d'inaugurer un espace et un temps neufs que la fête concrétise, rend parlants. L'espace de la fête révolutionnaire est ouvert et vaste, c'est l'espace conquis par le peuple (Bastille, Champ-de-Mars, place de la Concorde, ex-place Louis-XV). La périodicité crée un temps nouveau. Pour comprendre la beauté des hymnes révolutionnaires, il faudrait entendre la musique, voir les décors, les costumes. L'éloquence participe aussi à la fête, occasion de discours ; enfin le journal en rend compte ; toutes les formes de textes se trouvent donc concernées par elle.

A côté des fêtes puissamment organisées par le pouvoir, il convient de faire une place à ces formes d'art plus spontanées, plus populaires, que sont les slogans, les chansons, les petits poèmes, et qui ont pullulé pendant cette époque, pour et contre la Révolution. Et pour comprendre la véritable beauté de la chanson, on ne peut dissocier musique et parole. La fête ou l'antifête sont aussi dans la rue ; l'événement suscite ces formes d'art populaire : l'anecdote, le récit oral (avec ses héros : Charlotte Corday ou Bara), l'image d'Epinal et la chanson.

Le néo-classicisme. — Dans les fêtes comme dans la poésie, dans le théâtre ou dans l'éloquence, l'Antiquité grecque et surtout latine sont fort présentes. Le modèle romain fascine. C'est la Rome de Caton, la Rome de la République vertueuse. Toute la littérature française depuis la Renaissance — et même au Moyen Age — avait été marquée par l'univers gréco-romain. Pourtant ce retour à l'Antiquité prend alors un sens nouveau ; il s'agit de trouver chez les Anciens des modèles politiques. Et Rousseau avait déjà été bouleversé par Plutarque. Si bien que l'Antiquité est souvent connue à travers le prisme du rousseauisme. Il y a un recul du latin dans les collèges, mais les hommes de la Révolution, qui ont fait leurs études avant 1789, ont une parfaite connaissance de cette langue. Leur éloquence est nourrie de Cicéron — parfois, mais moins souvent, de Démosthène. Sur les scènes révolutionnaires, les héros antiques sont fort bien représentés. Talma leur prête sa voix. A travers l'Antiquité et grâce à elle, l'enseignement de la tribune se poursuit au théâtre. La Révolution veut faire grand et cette grandeur elle croit la trouver dans l'Antiquité. Elle y trouve un monde où l'on invoque un autre Dieu que celui des chrétiens. Et cela aussi peut lui sembler exemplaire.

Ce rappel de l'importance du modèle antique nous amène à la question du néo-classicisme, question qui déborde la seule littérature (cf. David). Il pourrait paraître étrange qu'une époque qui entend si intensément innover, qui remet en cause les institutions, le roi, la religion, l'ordre social, n'ait trouvé pour s'exprimer que ce style néo-antique qui risquerait de nous apparaître comme un retour en arrière. Il convient d'abord de rappeler que si la Révolution donne au néo-classicisme un lustre tout particulier, le mouvement esthétique remonte cependant à beaucoup plus haut, et que dès le milieu du siècle se fait sentir le désir de réagir contre la splendeur baroque, par un retour à la simplicité des formes rectilignes en architecture, par un discours plus direct, moins orné en littérature. Peut-être la Révolution plus encore que l'époque Louis XVI oblige-t-elle à réexaminer cette notion de « néo-classicisme », et à se demander finalement si ce n'est pas l'inadéquation d'un terme qui choque surtout. « Néo-classicisme » suggère un retour en arrière, une rétrogradation vers le classicisme qui oblitère ce que cet art a de neuf — et justement de révolutionnaire. Rechercher la simplicité et la grandeur antique aussi bien dans un poème que dans une fête révolutionnaire ce n'est pas affirmer une volonté rétrograde mais au contraire un désir de faire du neuf, de repartir sur des bases nouvelles, d'abolir un raffinement et une complexité qui semblent liées au luxe des privilégiés de l'Ancien Régime, pour retrouver les forces vives du peuple. Bien entendu cette représentation de l'Antiquité est fortement mythique, mais il n'y a que les mythes qui puissent être des idées-forces parce qu'ils charient avec eux les affects d'une sensibilité collective. On objectera : l'homme de la rue, à qui aurait voulu s'adresser la Révolution, que comprenait-il à Brutus ? Il ne savait rien de Brutus, mais il savait ce qu'était la liberté, la lutte, la force et l'énergie. Et puis, il apprenait. L'art de la Révolution veut enseigner.

Chapitre II

COURANTS DE PENSÉE

Principes de la Révolution. — D'un texte à l'autre, on retrouve des leitmotive, même quand ils émanent d'hommes appartenant à des tendances politiques différentes. A côté du célèbre « Liberté, Egalité, Fraternité », J. Starobinski propose d'autres formules qui résument cet esprit de la Révolution : « Les Lumières face aux ténèbres », « la passion du commencement », « l'union des principes et de la volonté ». Hegel exprimera la philosophie de la Révolution française de façon géniale, mais après coup. Plutôt que des systèmes construits, ces hommes d'action suivent surtout des idées-forces dont ils prouvent la fécondité.

Dans leur ivresse de partir à neuf, ils veulent instaurer un « Etat fondé sur le droit, c'est-à-dire sur la Raison » (B. Groethuysen). La Révolution essaie d'abord de concilier la Raison et une certaine situation historique (la monarchie), en voulant rendre cette monarchie constitutionnelle ; mais vite les réformes se révélèrent insuffisantes, il fallut construire un nouvel Etat, fondé sur la Raison et la Nature. Alors le droit naturel (dont l'idée était fort ancienne) « prit un caractère révolutionnaire. La raison ne se borna plus à déduire, à chercher des justifications, elle devint pratique et constructive » *(ibid.)*. Sans oublier tout ce qu'il peut y avoir d'irrationnel, de passionnel, et le débordement de sensibilité de cette époque, il faut cependant souligner ce souci fondamental de rationalité qui présida à la Révolution.

Au système hiérarchique de l'Ancien Régime, succède une conception de la France (de l'Europe, et même du monde) constituée d'individus tous égaux au moins en principe. Dans leur « ivresse géométrique » (Gusdorf), les révolutionnaires risquent d'oublier les différences de langue, de culture, certes, mais leur idéal est grand. Ces individus égaux ne sont pas isolés. La multitude des individus est censée constituer librement la Nation, grâce au contrat, base de toute démocratie. Cette adhésion individuelle qui s'exprime par le vote, peut prendre la forme solennelle et pathétique du serment (si importante dans l'art de cet époque).

Mais si l'adhésion n'est pas spontanée, que faire du récalcitrant ? « on le forcera d'être libre » *(Contrat social)*. Ces hommes qui pourtant se réclamaient des Lumières et de leur défense des libertés individuelles, vont avoir à recourir à la violence qui est peut-être inévitable dans une Révolution. « Ce qui produit le bien général est toujours terrible » (Saint-Just). Issue d'une tradition de philosophie individualiste, à l'origine de cette exaltation de l'individu dans le Romantisme, la Révolution a sacrifié nombre d'individus.

Soucieuse de réaliser le bonheur terrestre, elle est loin cependant de mettre entre parenthèses la métaphysique. Les textes révolutionnaires affirment fréquemment la foi en Dieu. « Mon Dieu, énonce Robespierre, c'est celui qui créa tous les hommes pour l'égalité et pour le bonheur ; c'est celui qui protège la liberté et qui extermine les tyrans ; mon culte, c'est celui de la justice et de l'humanité. » Froide abstraction ? Et pourtant le déisme révolutionnaire s'accompagne d'un élan de sensibilité issu du *Vicaire savoyard*.

Le courant athée est minoritaire (Condorcet, Guadet, Billaud-Varenne, Jacob Dupont, Sylvain Maréchal).

Certes, Anarcharsis Cloots propose à la Convention d'ériger une statue au curé Meslier et S. Maréchal écrit un apocryphe *Catéchisme du Curé Meslier*. Naigeon donne les *Œuvres complètes* de Diderot (1798). Sylvain Maréchal (qui avait publié en 1789 un *Almanach des honnêtes gens* anti-chrétien et en 1797 un *Code d'une société d'hommes sans Dieu*) publiera en 1800 avec Lalande un *Dictionnaire des athées anciens et modernes*. Mais Robespierre fulmine contre l'athéisme.

Par rapport aux limitations que la féodalité et l'absolutisme avaient imposées, proclamer le droit de propriété pouvait apparaître révolutionnaire. La Révolution resta fort attachée à ce droit, et l'annonce du communisme se lit surtout chez ceux qui n'ont pas un réel pouvoir politique : S. Maréchal (1791, *Dame Nature à l'Assemblée nationale*) et surtout Gracchus Babeuf (1789, *Cadastre perpétuel* ; *Le Tribun du peuple*). Le Directoire ferme le Club des Egaux et condamne à l'échafaud (1797) Babeuf, martyr de l'Egalité (*infra*, p. 66).

Les Idéologues. — Ce qui assure la cohésion de ce groupe de philosophes, outre les constances que l'on retrouve dans leur pensée pourtant fort diverse par leurs champs d'investigation, c'est d'abord un certain nombre de lieux de réunion qui vont permettre leur rayonnement : le salon d'Holbach, et surtout celui de Mme Helvétius à Auteuil. Volney, Sieyès, Chamfort habitent tout près. Elle léguera sa maison à Cabanis. Les loges maçonniques, et surtout la Loge des Neuf Sœurs, sont aussi des lieux de ralliement. Les idéologues fondèrent un certain nombre de sociétés savantes : Société des observateurs de l'homme (1800), Société médicale d'émulation ; l'Institut, l'Ecole normale que crée la Convention sont pour eux des tribunes. Enfin, en 1794 ils lancent une revue, *La Décade philosophique, littéraire et politique*, dirigée par Ginguené, animée aussi par Andrieux, Amaury Duval, Jean-Baptiste Say, revue qui se fait le champion d'un matérialisme libéral, et où se retrouvent ceux qui apparaîtront comme les anti-romantiques quelques années plus tard.

On retiendra quelques noms particulièrement marquants : Condillac qui peut apparaître, avec d'autres philosophes des Lumières, comme le père spirituel du groupe, est mort en 1780. Condorcet (1743-1794) est le grand philosophe de la fin du XVIIIᵉ siècle ; il aurait pu être le philosophe de la Révolution, si celle-ci ne l'avait acculé au suicide. Il prit une part importante dans ses travaux relatifs à la pédagogie (cf. *infra*), lutta contre l'esclavage des Noirs *(Réflexions sur l'esclavage des Nègres. Au Corps législatif contre l'esclavage des Noirs)*. Dans son *Esquisse d'un tableau historique de l'esprit humain* (publ. 1795), et bien qu'il mette la dernière main à son ouvrage étant proscrit, il proclame son espoir. « Il arrivera donc ce moment où le soleil n'éclairera plus sur la terre que des hommes libres, et ne reconnaissant d'autre maître que leur raison. » Après avoir retracé en neuf époques l'évolution de l'humanité, il tente un bilan dans la dixième époque, il espère un triple progrès : « La destruction de l'inégalité entre les nations », « les progrès de l'égalité dans un même peuple », enfin « le perfectionnement réel de l'homme ». Il demeura donc fidèle au credo optimiste des Lumières et affirme que « la perfectibilité de l'homme est réellement indéfinie ». De ce progrès, Condorcet entend expliquer, analyser clairement les mécanismes selon une méthode bien caractéristique de l'Idéologie. Ce progrès ne peut se continuer sans une réforme de l'éducation et c'est pourquoi, en 1792, il rédige un projet de décret pour l'organisation de l'instruction publique. Il croit à la possibilité des hommes de parvenir au bonheur par le bon usage de leur sens, de la « sensibilité », proprement dite, par le développement de leur raison, par le progrès de leurs connaissances en sciences physiques et morales.

Volney (1757-1820) croit aussi à cette perfectibilité

de l'homme dans la voie du bonheur : « Par la loi de sa sensibilité, l'homme tend aussi invinciblement à se rendre heureux que le feu à monter (...). Son obstacle est son ignorance, qui l'égare dans les moyens, qui le trompe sur les effets et sur les causes. » Volney voyage en homme de science. Il décrit la Syrie, et l'Egypte *(Les Ruines)*, puis les Etats-Unis *(Tableau du climat et du sol des Etats-Unis)*. Il veut instaurer des méthodes scientifiques et quantitatives d'analyse. Mais il est aussi poète du passé et ce sont ses admirables descriptions du Proche-Orient qui fascineront Senancour et Nerval.

Destutt de Tracy (1754-1836) avait d'abord conçu son *Projet d'Eléments d'Idéologie* « à l'usage des écoles centrales de la République française » ; il le développera et publiera ses *Eléments d'Idéologie*, véritable bible de ce courant philosophique dans ses diverses ramifications : psychologie de la connaissance, linguistique, grammaire, logique des sciences. Il applique à l'analyse des sentiments la même méthode et selon ces principes rédigera un traité *De l'Amour*.

Citons encore Laromiguière (1756-1837), professeur et bibliothécaire après avoir été religieux, auteur des *Eléments de métaphysique*, et des *Leçons de philosophie sur les principes de l'intelligence ou sur les causes et sur les origines des idées* ; Garat (1749-1830), professeur à l'Ecole normale, auteur des *Mémoires sur Suard* ; J.-M. de Gérando (1772-1842), qui publia une *Histoire composée des systèmes de philosophie*.

Les idéologues furent pour beaucoup dans le développement de la science médicale. Cabanis (1757-1808) écrivit des *Observations sur les hôpitaux* (1789), *Du degré de certitude en médecine* (1797), Bichat (1771-1802) ouvre en 1797 un cours d'anatomie avec dissections et sera en 1800 médecin de l'Hôtel-Dieu, il peut être considéré comme le fondateur de l'anatomie générale, et développa l'embryologie ; il publiera *Recherches phy-*

siologiques sur la vie et la mort (1800), *Anatomie générale* (1801). Pinel (1745-1826), nommé en 1793 médecin-chef de Bicêtre, puis à la Salpêtrière en 1795 (*Nosographie philosophique*, 1798), transforma le traitement des fous en préconisant l'abandon de la violence répressive au profit d'une analyse scientifique et curative.

Les Idéologues étaient favorables aux commencements de la Révolution, et participèrent aux assemblées et aux commissions (Condorcet, Daunou, Cabanis, Garat). La Terreur les persécuta, emprisonna Condorcet et causa sa mort. Sous le Directoire, les Idéologues occupent des postes importants dans les institutions dont ils avaient été les instigateurs (Ecole normale). Bonaparte leur est d'abord favorable (Volney conseiller du premier Consul), puis les persécute (Volney défend la liberté de la presse). Le Romantisme ultra contribuera à l'occultation de ce mouvement philosophique si important et auquel le Romantisme libéral demeure ouvertement redevable (Stendhal, Senancour). Les Idéologues contribueront à l'ouverture du premier romantisme aux littératures étrangères (Ginguené, Fauriel). Ils ont su créer une méthode dont l'efficacité s'est manifestée dans la psychologie du langage, la linguistique, l'ethnologie, la médecine, la pédagogie. Le concept de « rapport » chez eux annonce celui de « structure » au XXe siècle.

Catholiques et protestants. — Il serait simplificateur d'opposer l'Idéologie matérialiste et les courants spiritualistes. Maine de Biran (1766-1824) part de l'Idéologie et redécouvrira Dieu et son âme en analysant son *moi*. Les aspirations religieuses de cette époque circulent sous des formes variées, à travers des philosophies contradictoires. La question du catholicisme et de la Révolution n'est pas simple. Le clergé avait renoncé à la dîme, le 11 août, répondant ainsi à la nuit du 4 août ; la Constitution civile du clergé, condamnée par le pape Pie VI, va entraîner une scission entre prêtres réfractaires et prêtres assermentés. A partir de 1792, le clergé est victime de persécutions souvent plus politiques que proprement religieuses. L'affrontement du clergé et de la Révolution donne lieu à de nombreux écrits, d'une valeur inégale, et qui demeurent fort mal connus. L'abbé Grégoire (1750-1831) est une figure intéressante, un écrivain fécond ; il est député aux Etats généraux et à la Convention, a prêté serment, a un rôle actif dans les travaux qu'entreprit la Révolution en matière de pédagogie de la langue française, fait voter l'abolition de l'esclavage. C'est par fidélité à une vieille tradition gallicane qu'il refusera d'adhérer au Concordat. Non sans intérêt, Adrien Lamourette, qui en 1789 publie des *Pensées sur la philosophie de la foi* ; évêque, il essaie de concilier une double fidélité à la Révolution et à la religion.

Si l'on reconnaît volontiers l'héroïsme des prêtres réfractaires, il serait cependant tout à fait injuste de ne voir qu'opportunisme chez les prêtres constitutionnels. Chez les meilleurs d'entre eux on trouve l'aboutissement de tout un courant intellectuel du xviiie siècle qui a tenté de réaliser une synthèse entre foi et Lumières (on se reportera aux excellents travaux de B. Plongeron).

La défense du catholicisme fut souvent le fait des émigrés les plus réactionnaires (l'abbé Barruel, *Mémoires sur le jacobinisme*), avec deux figures marquantes par leur grand talent : Bonald (1754-1840 ; *Théorie du pouvoir politique et religieux dans la société civile*, 1796) et Joseph de Maistre (1754-1821 ; *Considérations sur la France*, 1796 ; *Soirées de Saint-Pétersbourg*, 1821). Si la trinité Dieu, le roi, la famille, de Bonald, peut sembler rétrograde, si la théorie de la réversibilité des mérites de Maistre peut révolter, on trouvera cependant intéressants chez Bonald une critique de la société bourgeoise, ou une conception neuve du langage ; chez Maistre, une tension entre l'héritage refusé des Lumières et l'illuminisme. Le talent de polémiste de l'un, la beauté de la prose du second demeureront incontestables.

Les protestants pouvaient difficilement avoir la nostalgie de l'Ancien Régime, aussi ce versant du christianisme est-il plus favorable aux réformes (Jacques Necker) ou même à la Révolution (sa fille, Mme de Staël). D'autre part, en Suisse, en Allemagne, l'émigration française va souvent côtoyer piétisme et protestantisme (courants qui s'allient chez le lausannois B. Constant). On assiste au début du XIXe siècle à la « rentrée littéraire des protestants » (A. Thibaudet).

La Franc-maçonnerie. — S'il est excessif de voir (comme Bonald) une influence directe et systématique de la maçonnerie sur les événements révolutionnaires (les loges furent dispersées sous la Terreur), il existe de frappantes analogies entre l'idéal maçonnique de religion raisonnable, de liberté et d'égalité et les aspirations les plus hautes de 1789. La maçonnerie fournit aussi à la Révolution tout un ensemble de signes et de symboles, un vocabulaire d'allégories et d'emblèmes que l'on retrouve dans les textes, les illustrations, l'organisation des fêtes (compas, équerre, soleil, lune, œil de la Raison, autel triangulaire).

Illuminisme et syncrétisme érudit. — Les sectes pullulaient avant et pendant la Révolution. Le terme d'illuminisme recouvre souvent des courants fort différents, du magnétisme de Mesmer (1734-1815), à la physiognomonie de Lavater (1741-1801 ; *Essais de Physiognomonie*, 1775-1778, trad. franç., 1781-1803), à diverses tendances néo-pythagoriciennes. L'érudition historique contribue aussi à une conception nouvelle du symbolisme religieux. Le conventionnel Charles Dupuis reprend les théories de Gébelin dans sa lutte contre le christianisme : la résurrection du Christ n'est autre que celle d'Osiris.

L'érudition de Dupuis (1742-1809), professeur de rhétorique, juriste, mathématicien, est étonnante. Dès 1781 il a donné un *Mémoire sur l'origine des constellations et sur l'explication de la fable par l'astronomie*, point de départ du vaste ouvrage qu'il publie en 1794 : *Origine de tous les cultes ou la Religion universelle*, dont il livre un abrégé en 1798. Par son souci d'explication naturiste des religions, par sa pluridisciplinarité, il se rattache au courant des Idéologues dont on ne dira jamais trop la fécondité.

Tout un courant d'égyptologie — déjà active au XVIIIe siècle, mais auquel l'expédition de Bonaparte donne un nouvel essor, antichrétienne souvent, mais surtout syncrétiste et mystique, appuyée sur une réflexion cosmologique, se retrouve chez l'astronome Le Gentil de La Galaisière (1723-1792), l'archéologue Alexandre Lenoir (1762-1839) et l'illuminé Nicolas de Bonneville (1760-1828), auteur de *De l'esprit des religions*.

La recherche linguistique, elle aussi, est traversée d'aspirations mystiques. Fabre d'Olivet (1768-1825) est maçon, explique la musique en fonction des principes de Pythagore, et, à l'époque qui nous occupe, se distingue surtout par ses recherches sur la langue d'oc et la publication en 1794 d'*Azalaïs et le gentil Amor*. Il est bien caractéristique de cette « linguistique spéculative » de la Révolution et du début du XIXe siècle et des liens qu'elle entretient avec l'illuminisme et la maçonnerie.

Saint-Martin. — Le plus purement mystique de ces « illuministes » est certainement le « philosophe inconnu », Louis-Claude de Saint-Martin (1743-1803). Disciple de Martinez de Pasqually, il avait déjà publié avant la Révolution *Des Erreurs et de la vérité* et son *Tableau naturel*. Sa grande œuvre, *L'Homme de désir*, paraît à Lyon en 1790, *Ecce Homo* en 1792. *Mon Portrait historique et philosophique* semble avoir été commencé pendant la Révolution. Saint-Martin continuera à publier au-delà de la Révolution (*De l'Esprit des choses*, 1800 ;

Le Ministère de l'homme-esprit, 1802). Ce « théosophe révolutionnaire » considère la Révolution comme une épreuve, une période de dure purification qui va permettre une résurrection ; une ère nouvelle va s'instaurer, étape de l'avènement de l'homme-esprit. Ainsi peut se concilier aspiration au progrès et eschatologie mystique.

A travers ces mouvements très divers, se poursuit donc une réflexion sur l'Histoire et sur le langage. Des interprétations contraires des événements (apocalypse ou renouveau) exaltent cependant la notion d'énergie (des individus, des peuples). Dans la réflexion sur le langage s'oppose une analyse scientifique du signe chez les Idéologues et une conception du langage-révélation (Saint-Martin). L'idée du progrès de l'Histoire n'exclut pas la nostalgie des origines, le désir de retrouver un langage premier. L'Illuminisme et le Martinisme préparent au Romantisme une philosophie du symbole, de la correspondance entre microcosme et macrocosme. Cependant, dans une époque troublée où éclatent incohérences et dissensions, les systèmes philosophiques ou mystiques affirment une unité, « unité suprême et universelle » (Saint-Martin).

Les sciences et les voyages. — L'histoire de la littérature ne peut oublier tout à fait celle des sciences. De grandes œuvres ont paru pendant la Révolution (le *Traité de Chimie* de Lavoisier, 1789 ; la *Théorie des fonctions analytiques* de Lagrange ; l'*Exposition du système du monde* de Laplace, 1796 ; la *Réflexion de la métaphysique du calcul infinitésimal* de Carnot, 1797). L'art de la description est redevable à Buffon dont toute l'œuvre est très lue pendant la Révolution (*Histoire des serpents*, posthume, 1789). Bernardin de Saint-Pierre est considéré comme un savant (intendant du Jardin des Plantes, 1792 ; professeur à l'Ecole normale). Lamarck (1744-1829), Cuvier (1769-1832) ; Geoffroy Saint-Hilaire (1772-1844) ont eu une influence sur les écrivains (ex. Lamarck sur Gœthe, Senancour, Sainte-Beuve).

La Révolution fut une période de grandes explorations maritimes (Marchand, Entrecasteaux, Nicolas Baudin). D'autre part, Vivant Denon relate l'expédition d'Egypte et de Syrie (1798-1801). L'archéologie peut alimenter une réflexion d'actualité (cf. Volney). En 1799 se crée la Société des observateurs de l'homme, qui contribue au développement de l'ethnographie. Le succès des collections de voyage est un signe de l'intérêt du public (*Le Voyageur français* de J. de La Porte, 1765-1795). Les expéditions vers les sommets se développent et marquent la naissance d'un genre littéraire nouveau (Ramond de Carbonnières, *Observations faites dans les Pyrénées*, 1789). Notons la vogue des voyages en France (*Description générale et particulière de la France*, puis *Voyage pittoresque de la France* de Laborde, Guettard et Berguillet, 1781-an VIII ; *Voyages en France* de Young, 1792). Notons aussi l'importance que prennent alors les descriptions des rues de Paris (Sébastien Mercier, *Le Nouveau Paris*, 1798, cf. *infra*, Rétif de La Bretonne).

Nationalisme et cosmopolitisme. — Les échanges entre la France et l'étranger auront rarement été aussi intenses. Entre 1789 et 1792 de nombreux étrangers vinrent en France voir cette expérience politique totalement nouvelle. Ainsi Anacharsis Cloots, qui se dit l'orateur du genre humain, n'était autre que le baron de Gnadenthal : lors de la fête de la Fédération, il est symboliquement à la tête d'une délégation qui figure l'humanité. La Révolution, dans son enthousiasme, entend faire rayonner sa lumière sur le monde entier. La Législative s'enorgueillit de donner le titre de citoyen français à des étrangers, outre Cloots : Thomas Paine, Schiller, Klopstock. Les armées de la Révolution prétendent libérer l'Europe du joug monarchique.

Inversement, des français partent à l'étranger, qui ne sont pas des envoyés de la Révolution : les émigrés ; ils n'en contribuent pas moins puissamment au mouvement des idées à cette époque. Cent cinquante mille Français quittèrent alors leur pays. Tous certes n'étaient pas d'une haute culture, cependant, par définition, ils appartenaient en majorité à la classe des privilégiés, donc de ceux qui, dans leur jeunesse, avaient eu droit à la culture. Leurs horizons vont se trouver brusquement élargis — même si cet enrichissement se solde souvent par la misère matérielle et la faim que connut le jeune Chateaubriand en Angleterre. Ces émigrés assistent à Londres à des représentations de Shakespeare, bien différentes de celles qu'ils pouvaient voir en France. Ils découvrent la littérature romantique allemande. Ils reviendront en France, après la Révolution, messagers d'une nouvelle culture, mais ils auront aussi contribué à la diffusion de la littérature française, exerçant des métiers tels que précepteurs, revendeurs de librairie et étant souvent invités dans les salons et les sociétés locales. On notera le rôle capital d'un Charles de Villers, le rôle de la *Bibliothèque britannique* (1796-1815), de la *Bibliothèque germanique* (1799-1800), des *Archives littéraires de l'Europe* (cf. *infra*, IV). Sous la Révolution, enfin, se multiplient les traductions de textes étrangers.

L'image de l'Angleterre (en partie à cause de la révolution américaine) n'est plus exactement celle qu'eurent les Philosophes à qui Robespierre reproche leur anglomanie. Newton continue à être une grande figure et Boullée imagine son cénotaphe. On s'attendrit avec Richardson (cf. Mme Roland). C'est surtout l'influence du roman noir anglais qui est marquante (Ann Radcliffe, *Les Mystères d'Udolphe*, trad. 1797 ; *Le Roman de la forêt*, trad. 1797 ; Lewis, *Le Moine*, trad. 1797), aussi bien sur le roman que sur le mélodrame. Les poètes des tombeaux (Young, Hervey, Gray) sont très lus (la traduction des *Nuits* de Young connaît vingt rééditions entre 1770 et 1836, Cabanis, M.-J. Chénier, Chateaubriand traduisent des fragments de Young). Ossian attire des hommes qui rêvent de retrouver l'énergie primitive et d'abolir le luxe aristocratique. La « barbarie » de Shakespeare séduit, à travers la traduction de Letourneur (1776-1783) ou l'adaptation timide de Ducis (*Othello*, 1792).

La fin du XVIIIᵉ siècle découvre l'Allemagne. Quinze traductions de *Werther* entre 1776 et 1792. Bonneville avait traduit le *Nouveau théâtre allemand* en 1782 et donné un *Choix de petits romans imités de l'allemand* en 1786. Dès 1785, La Martellière avait traduit *Les Brigands* de Schiller dont on joue en 1792 une adaptation : *Robert chef des brigands*. Mme de Staël fait déjà l'éloge de *Werther* dans l'*Essai sur les fictions*, mais la connaissance de la littérature allemande en France s'opérera surtout par son *De l'Allemagne* (1810). La Suisse, lieu privilégié de l'émigration, a son influence tant par l'image rousseauiste de la République helvétique que par ses paysages et ses poètes : Gessner, Haller *(Les Alpes)*. La Scandinavie attire (après les travaux du comte de Tressan et de Mallet). L'Espagne est mal connue. La campagne d'Italie permet des échanges (forcés) franco-italiens.

Si difficiles qu'aient été les jours de la Révolution, et au milieu des guerres intérieures et extérieures, la France ne s'est pas refermée sur elle-même. Traductions, influences, voyages volontaires ou non, tout assure cette circulation des idées entre la France et l'Europe, et même les Etats-Unis.

Chapitre iii

L'ÉLOQUENCE ET LE DROIT

Tous les enfants sous l'Ancien Régime apprenaient longuement la rhétorïque et s'entraînaient à ses exercices ; ils traduisaient assidûment les orateurs de l'Antiquité qui avaient défendu la liberté, Démosthène, Cicéron, mais ce merveilleux instrument de la persuasion ils ne pouvaient s'en servir qu'en chaire, s'ils avaient choisi une carrière ecclésiastique, ou au barreau, s'ils étaient avocats. Cette culture n'était pas inutile à l'homme du monde ni à la formation de l'écrivain (que de « Discours sur... »), néanmoins sa dimension politique était estompée. Avec la convocation des Etats généraux, la grande éloquence reprend son sens et même son lieu : il lui faut une assemblée d'hommes à convaincre. Elle évolue, varie selon les tempéraments, elle n'est pas la même chez un Mirabeau ou un Saint-Just, mais elle est devenue l'élément indispensable de la Révolution, l'instrument de pouvoir et d'action sur les hommes et sur l'Histoire.

L'éclatement de la parole révolutionnaire avait cependant été annoncé, amorcé par la lutte des Philosophes (auteur de l'Encyclopédie ; procès Calas, etc.), qui transforme peu à peu l'opinion publique en un juge auquel s'adresse l'écrivain. Les Académies, dont la place fut si importante au xviiie siècle, ont eu leur importance. Rousseau, dans ses deux premiers discours, est un exemple suffisamment éclairant de la façon polémique et politique dont peut être utilisé le discours académique. Rappelons aussi le rôle joué par les parlementaires (La Chalotais en Bretagne, Servan à Grenoble, Dupaty à Bordeaux).

La Constituante. — L'éloquence de la Révolution est si liée à l'Histoire que le plus simple est d'en évoquer les diverses étapes dans un ordre chronologique. Le temps est accéléré, les Assemblées se succèdent à vive allure ; mais chacune a son caractère. La Constituante inaugure la répartition topographique des partis entre la « droite » et la « gauche ». A droite, l'abbé Maury a la forte saveur du provençal ; c'est un homme né du peuple (son père était cordonnier). Cazalès, ancien officier des dragons, est toulousain ; l'avocat Mounier est plein de talent, mais démissionne dès les journées d'octobre. Le comte de Clermont-Tonnerre étonne par ses dons d'improvisation. Beaucoup d'avocats, de prêtres, de gens donc formés à l'éloquence, mais qui vont lui donner une utilité nouvelle. Le Chapelier était avocat au parlement de Rennes. Quant à Talleyrand, il n'a pas fini de parler et de faire parler de lui. A la gauche de l'Assemblée, l'avocat Robespierre se fait déjà entendre ; mais les deux grands ténors de la gauche, ce sont alors Barnave et Mirabeau.

Barnave. — Barnave est né à Grenoble en 1761, et a été avocat au barreau de cette ville. Député aux Etats généraux, il est chargé de ramener Louis XVI après l'arrestation de Varennes. Il voulut concilier la Révolution et la fidélité monarchique et c'est ce qui le perd, il sera guillotiné en 1793. Il a la passion de la tolérance et de la liberté. C'est un homme de passion, mais qui aime la précision, ne se laisse pas entraîner par les mots, quitte à sembler un peu froid ; en cela il possède bien ce tempérament dauphinois tel que le définira Stendhal, son compatriote. Son *Discours sur le droit de paix et de guerre* est un grand texte, et qui s'attaque à la prérogative royale que défendait Mirabeau. Outre ses discours, il a laissé une *Introduction à la Révolution française* qui ne paraîtra qu'en 1845.

Mirabeau. — Il est né en 1746 ; son père, avec qui il entra en conflit, était un économiste physiocrate. Il fut d'abord une victime des pratiques de l'Ancien Régime puisqu'il fut incarcéré à l'île de Ré par lettre de cachet, prisonnier pour dettes au château d'If, puis au fort de Joux dont il s'enfuit avec Mme Monnier (Sophie). Il est arrêté en Hollande et incarcéré à Vincennes. Député du Tiers en 1789 — la noblesse se méfie de lui. On tente de l'exclure de l'Assemblée en votant que les ministres du roi ne pourront en faire partie. Il est le conseiller secret de Louis XVI en 1790, reçoit une pension ; d'où l'accusation de vénalité. En 1791 cependant, il devient président de l'Assemblée. Pour peu de temps : il meurt le 2 avril.

Citons le discours du 18 mai 1789 sur la vérification des pouvoirs (suivi d'un second discours sur la même thème le 27 mai, les discours du 15 et du 16 juin 1789, sur la dénomination de l'Assemblée ; Mirabeau propose avec fougue l'expression « représentants du peuple français ». Les deux beaux et grands discours sur la Déclaration des droits de l'homme (17-18 août) où il présente le projet de déclaration qui deviendra célèbre et dans la rédaction duquel il eut un rôle prépondérant. « C'est pour nous, c'est pour nos neveux, c'est pour le monde entier que vous allez travailler ; vous marcherez d'un pas ferme, mais mesuré vers ce grand œuvre ; la circonspection, la prudence, le recueillement qui conviennent à des législateurs, accompagneront vos décrets. Les peuples admireront le calme et la maturité de vos délibérations ; et l'espèce humaine vous comptera au nombre de ses bienfaiteurs. » Importants les discours sur le droit de veto (1ᵉʳ septembre) ; sur la sanction royale aux décrets des 4 et 11 août ; deux discours sur la propriété des biens du clergé, deux discours sur le droit de paix et de guerre (20-22 mai 1790). Discours sur les journées d'octobre (2 octobre 1790). Discours sur l'adoption du drapeau tricolore (21 octobre 1790) : « Aux premiers mots proférés dans cet étrange débat, j'ai ressenti les bouillons du patriotisme, jusqu'au plus violent emportement (...) elles vogueront sur les mers, les couleurs nationales, elles obtiendront le respect de toutes les contrées, non comme le signe des combats et de la victoire, mais comme celui de la sainte confraternité des amis de la liberté sur toute la terre, et comme la terreur des conspirateurs et des tyrans. »

Discours sur la constitution civile du clergé (26 novembre 1790), qu'il défend avec virulence, après qu'elle eût été attaquée par l'*Exposition des principes* de Mgr Boisgelin. Discours sur l'émigration (28 février 1791) où il défend la liberté de quitter son pays, en citant une lettre qu'il avait envoyée huit ans plus tôt à Frédéric II. C'est Talleyrand qui lira le 2 avril 1791 le discours que Mirabeau mourant lui avait transmis, sur l'égalité des partages, contre les mesures testamentaires qui rétabliraient l'inégalité. En effet, « il ne suffit pas d'avoir fait disparaître de notre code ce reste impur des lois féodales, qui, dans les enfants d'un même père, créaient quelquefois, en dépit de lui, un riche et des pauvres, un protecteur hautain et d'obscurs subordonnés (...) il faut prévenir par de sages statuts les passions aveugles ».

Celui dont le grand public n'a guère retenu qu'une phrase (« nous ne quitterons nos places que par la puissance des baïonnettes »), et en la citant de façon inexacte, fut déterminant dans le premier temps de la Révolution. « Mirabeau, écrit Michelet, attirait tous les regards, son immense chevelure, sa tête léonine marquée d'une laideur puissante, étonnaient, effrayaient presque ; on n'en pouvait détacher les yeux (...). Tout le monde pressentait en lui la grande voix de la France. »

La figure de Mirabeau domine la Constituante. Méridional, il est aussi différent que possible de Barnave. Son tempérament vigoureux trouva sa véritable expression dans la Révolution. Il défendait une position difficile : puisqu'il se voulait « le défenseur du pouvoir monarchique réglé par les lois, et l'apôtre de la liberté garantie par le pouvoir monarchique ». Ce « Samson de la Constituante », comme l'appellera Mme de Staël, a de la grandeur, un brio qui séduit encore. Bien entendu il utilisait des « nègres » — Etienne Dumont, Clavière, Duroveray — qui lui fournissaient l'argumentation solide sur laquelle il s'appuyait. Mais la parole, la flamme étaient bien de lui et, comme en convenait Dumont lui-même : « S'il sait mettre à contribution ses amis, s'il sait leur faire produire ce qu'ils n'auraient jamais fait sans lui, il en est véritablement l'auteur. » Les Discours de Mirabeau demeurent la grande œuvre de cette première période de la Révolution dont ils sont caractéristiques aussi bien par le monarchisme que par la qualité oratoire.

La Législative. — Les avocats dominent dans cette assemblée. Guadet, né à Saint-Emilion, avocat à Bordeaux, fut député de la Gironde à la Législative et à la Convention ; il sera condamné et exécuté le 29 prairial an II. Son *Discours sur l'émigration* (29 novembre 1791) est un grand texte. Autre avocat bordelais, au destin assez semblable : Gensonné. Isnard, de Draguignan, lui, survécut à la Révolution et se ralliera à l'Empire. Le grand orateur girondin c'est Vergniaud : (1753-1791), élu en 1791, il présida l'Assemblée législative (octobre 1791). Après avoir voté la mort du roi, il finit par être une victime de la Révolution et périt avec les Girondins. Il est fils des Lumières, grand lecteur de Montesquieu, de Voltaire, de Rousseau, il prolonge l'utopie du siècle et voudrait une République sans violence où règnent le bonheur, l'aisance et la liberté. L'urgence des événements donna à son éloquence un peu trop classique (procédés rhétoriques, répétition) tout son impact, ainsi lorsqu'en septembre 1792 la France fut partiellement envahie, ou lorsqu'il répond à Robespierre et à ses accusations (31 mai 1793).

La Convention. — On retrouve les orateurs de la Législative et quelques nouveaux : Barbaroux, de Marseille ; Buzot, qui voulut soulever la Normandie, rallia les Girondins et fut contraint de s'empoisonner. Sa violence, sa haine stimulent son éloquence. Brissot eut le courage de s'opposer énergiquement à Robespierre, ce qui lui coûta la vie. Sous la Convention, le romancier Louvet de Couvray, l'auteur de *Faublas*, se révéla aussi un orateur de grand talent. Si le rôle politique de ces orateurs ne fut pas aussi déterminant que celui d'un Danton, d'un Robespierre, d'un Saint-Just, cela n'implique évidemment pas que la qualité littéraire de leurs discours soit négligeable ; mais désormais, l'efficacité du verbe devait se mesurer avec des forces brutales, en particulier celle de la guillotine.

Marat (1743-1793). — Il est un homme mûr lorsque commence la Révolution ; « j'arrivai à la Révolution avec des idées faites », dit-il lui-même. Il fut d'abord un médecin et un savant, un romancier (*Aventures du comte Potowski*, 1770-1772). Il se fixe à Londres en 1765, puis à Newcastle avant de revenir à Paris, comme médecin des gardes du comte d'Artois. Ses écrits scientifiques avant la Révolution sont nombreux (*Recherches physiques sur le feu*, 1780 ; *Découvertes sur la lumière*, 1780 ; *Recherches sur l'électricité*, 1782 ; *Mémoires sur les vraies causes des couleurs*...). Savant, il est aussi philosophe et a donné dès 1772 à Londres un *Essai sur l'âme humaine*. En 1774, il a publié *Les Chaînes de l'esclavage*, en 1776, *De l'Homme*, et en 1780, le *Plan d'une législation criminelle*. Il est nourri de Rousseau.

La Révolution lui donne l'occasion de prouver son talent de journaliste (*L'Ami du peuple*, le *Journal de la République française*, cf. *infra*). Son éloquence se manifeste dans ses discours, ses articles, ses pamphlets. Elu à la Convention où il représente la tendance montagnarde, il est vivement attaqué par les Girondins, se défend fort bien et est acquitté triomphalement par le tribunal révolutionnaire. Souffrait-il — et cela encore le rapprocherait de son maître Rousseau — d'un délire de persécution ? Desmoulins l'appelait « Cassandre-Marat ». Peut-être cependant cette obsession du complot n'était-elle pas absolument névrotique. Les faits lui ont donné raison, puisqu'il périt assassiné par Charlotte Corday. Outre cette dénonciation systématique des complots qui fournit à son éloquence une tension dramatique et qui alimente sa véhémence lorsqu'il s'attaque à Necker, à Mirabeau, à La Fayette, aux Girondins, son verbe est tout entier tendu par une très haute idée du peuple et de son rôle dans la Révolution ; il le rêve idéal et infaillible dans une conception où se mêlent une représentation mythique de la Sparte antique et le souvenir du *Contrat social*. Cette conception lui semble justifier le sang versé ; même si l'on ne partage pas cette conviction, on n'en demeure pas moins impressionné par la force, la constance, la conviction de cette éloquence dans la mêlée.

Si l'on veut donner une idée de l'œuvre de Marat sous la Révolution, on retiendra, outre l'activité de journaliste sur laquelle nous reviendrons, en août 1789 : « La Constitution ou projet de Déclaration des droits de l'homme » ; en novembre : « Dénonciation contre Necker. » En mars 1790, de Londres, « Appel à la Nation », « Nouvelle dénonciation contre Necker », « Lettre sur l'Ordre judiciaire » ; en juin, « Supplique de 18 millions d'infortunés aux députés de l'Assemblée nationale « (qui paraît dans *L'Ami du peuple*) ; en juillet, le pamphlet : « C'en est fait de nous » ; en août : « On nous endort, prenons-y garde » ; « C'est un beau rêve, gare au réveil » ; « L'affreux réveil ». En décembre : « Le général Motier vendu par ses mouchards » ; « Adresse de Jean-Paul Marat à Louis XVI. » En juillet 1792 : « Appel aux fédérés » ; en septembre, plusieurs pamphlets anti-girondins : « Marat, l'Ami du Peuple, aux bons Français » ; « Marat à Mᵉ Jérôme Pétion » ; en septembre, le discours pour sa propre défense. En mai 1793, le discours à la Convention pour « Rendre les sans-culottes les vrais propriétaires ».

L'éloquence de Marat, elle éclate dans ses articles de *L'Ami du Peuple* ou dans ce texte du *Journal de la République française* : « Il y a quatre ans que le peuple a rompu ses fers, qu'il se dit libre et qu'il ne cesse de lutter contre la tyrannie ; il y a quatre ans qu'il a secoué le joug de ses anciens maîtres et qu'il ne cesse de débattre contre les chaînes dont ses propres mandataires l'ont accablé ; il y a quatre ans qu'il chante ses victoires, qu'il préconise le nouvel ordre des choses, et qu'il ne cesse d'être la victime des suppôts de l'Ancien Régime, affublés d'écharpes ou de colliers tricolores, d'uniformes nationaux, de panaches noirs, et de brevets d'inviolabilité ; il y a quatre ans qu'on lui promet la liberté, l'abondance et la paix, et jamais il ne fut plus esclave, plus agité, plus misérable » (25 novembre 1792). A propos de la révolte de Saint-Domingue : « Si les lois de la nature sont antérieures à celles des sociétés et si les droits de l'homme sont imprescriptibles, celui qu'ont les colons blancs à l'égard de la nation française, les mulâtres et les Noirs l'ont à l'égard des colons blancs. Pour secouer le joug cruel et honteux sous lequel ils gémissent, ils sont autorisés à employer tous les moyens possibles, la mort même, quand dussent-ils être réduits à massacrer jusqu'au dernier de leurs oppresseurs. » (*L'Ami du peuple*, 12 décembre 1791.)

Danton (1759-1794). — Les querelles qui opposèrent les partisans de Danton et ceux de Robespierre au moment même de la Révolution se sont prolongées par les querelles des historiens, en particulier Aulard et Mathiez qui prirent âprement parti l'un pour Danton, l'autre pour Robespierre. Les deux tempéraments d'orateurs sont aux antipodes, et si nous n'avons pas ici à prendre en considération leur rôle politique, mais leur valeur littéraire, nous devons bien les opposer encore sur ce plan.

Danton était probablement vénal, il avait besoin d'argent, il aimait le plaisir ; il était doué d'une vitalité athlétique, d'un goût de l'amour, de la nature. Son éloquence a quelque chose de direct et de savoureux. Prenons comme exemple de son éloquence le Discours à la Convention du 10 mars 1793. La situation militaire est grave, Danton a été envoyé par la Convention auprès des armées françaises. Il faut agir et vite. Il ne s'agit plus d'analyser les fautes passées. « Quand l'édifice est en feu, je ne m'attaque pas aux petits fripons qui veulent démeubler, mais, d'abord, j'arrête l'incendie. » « Citoyens, vous n'avez pas à délibérer, vous avez à agir. » Il évoque les calomnies dont il dit avoir été victime : « J'ai consenti à passer pour buveur de sang ! Buvons le sang des ennemis de l'humanité, s'il le faut, mais enfin que l'Europe soit libre ! » Il y a de l'élan dans cette éloquence simple : « Remplissez donc vos destinées, point de passions, point de querelles, suivons la vague de la liberté ! »

Ce fils d'un homme de loi d'Arcis-sur-Aube (né en 1751), cet ancien avocat n'ignore pas les subtilités de l'argumentation, mais il pense qu'il faut avant tout viser l'efficacité dans l'urgence et sa parole porte. Le discours du 7 mars 1793 en est encore un bel exemple qui cette fois met en garde la Convention contre le danger de guerre civile. L'interrogation, la répétition : « Que dira donc le peuple ? car il est prêt à se lever en masse. Que dira donc le peuple ? car il le voit et il le sent, des passions misérables agitent ses représentants, tandis qu'ils devraient diriger leur énergie, et contre l'ennemi de l'intérieur et contre les ennemis du dehors. » L'image du feu embrase le discours : « Une grande nation en révolution est comme le métal qui bouillonne dans la fournaise : la statue de la liberté n'est pas fondue, le métal est en fusion ; si vous ne savez pas conduire le fourneau, vous en serez tous dévorés. » Il allait être la victime de cet embrasement.

On a souvent rapproché l'éloquence de Mirabeau et celle, plus populaire, de Danton ; c'est une éloquence qui ne s'embarrasse pas de périphrases antiquisantes et va droit au fait. « De l'audace, encore de l'audace, toujours de l'audace » (2 septembre 1792) est resté célèbre. A. Soboul a dit de lui qu'il était « le plus véritable orateur de la Révolution ».

Robespierre (1758-1794). — Il a un tempérament d'austère réformateur religieux ; on a comparé ses discours toujours fort bien préparés à des sermons, non sans raison. Il y a une ardeur glacée dans ces textes, dans ces phrases claires, lucides. Ainsi dans le discours à la Convention du 8 thermidor (26 juillet 1794) : « Que d'autres vous tracent des tableaux flatteurs ; je viens vous dire des vérités utiles. » Et cette définition de la Révolution, sans métaphore : « Les Révolutions qui jusqu'à nous ont changé la face des Empires n'ont eu pour objet qu'un changement de dynastie, ou le passage du pouvoir d'un seul à celui de plusieurs. La Révolution française est la première qui ait été fondée sur la théorie des droits de l'humanité et sur les principes de justice. » Voici comment, dans le Discours à la Convention du 25 décembre 1793, il justifie le gouvernement révolutionnaire : « Si le gouvernement révolutionnaire doit être plus actif dans sa marche et plus libre dans ses mouvements que le gouvernement ordinaire, en est-il moins juste et moins légitime ? Non ; il est appuyé sur la plus sainte de toutes les lois : le salut du peuple, sur le plus irréfragable de tous les titres : la nécessité. »

Quand il lui faut établir un programme d'un gouvernement fondé sur la vertu, il multiplie les antithèses, dans le plus pur style cicéronien : « Nous voulons substituer dans notre pays la morale à l'égoïsme, la probité à l'honneur, les principes aux usages, les devoirs aux bienséances, l'empire de la raison à la tyrannie de la mode (...) un peuple magnanime, puissant, heureux, à un peuple aimable, frivole et misérable ; c'est-à-dire, toutes les vertus et les miracles de la République à tous les vices et à tous les ridicules de la monarchie. »

La période de 1792-1793 est particulièrement riche en textes : réponse à l'accusation de J.-B. Louvet (5 novembre 1792), réponses à J. Pétion (novembre-décembre 1792) ; Sur le parti à prendre à l'égard de Louis XVI : « Vous demandez une exception à la peine de mort pour celui-là seul qui peut la légitimer. Oui, la peine de mort, en général, est un crime, et par cette raison seule que, d'après les principes indestructibles de la nature, elle ne peut être justifiée que dans les cas où elle est nécessaire à la sûreté des individus ou du corps social (...) Louis doit mourir, parce qu'il faut que la patrie vive. » Discours sur les subsistances (2 décembre 1792) : « Les aliments nécessaires à l'homme sont aussi sacrés que la vie elle-même. Tout ce qui est indispensable pour la conserver est une propriété commune de la société entière. » Sur les relations avec les peuples étrangers (février 1793), sur les troubles de Paris (8 mars 1793) : « Pour moi, je ne connais que deux moyens de prévenir tous les désordres : le premier c'est de punir les véritables agitateurs (...) Le second moyen, c'est de soulager la misère publique. » Contre Dumouriez et Brissot (3 avril 1793), contre le Comité de défense générale, et en particulier contre Brissot, 3 avril 1793 ; Sur la conspiration tramée contre la liberté (10 avril 1793), sur la propriété, 24 avril 1793, qui critique la Déclaration des droits de l'homme : « Votre Déclaration paraît faite non pour les hommes, mais pour les riches, pour les accapareurs, pour les agioteurs et pour les tyrans. » Il propose : « La propriété est le droit qu'a chaque citoyen de jouir et de disposer de la portion de biens qui lui est garantie par la loi »...). Le droit de propriété est borné, comme tous les autres, par l'obligation de respecter les droits d'autrui. » Sur le gouvernement représentatif (10 mai 1793), qui part d'une reprise du *Contrat social* : « L'homme est né pour le bonheur et pour la liberté, et partout il est esclave et malheureux. » « Il n'y a qu'un seul tribun du peuple que je puisse avouer : c'est le peuple lui-même. »

Parmi les grands discours de l'an II, on retiendra tout particulièrement : le *Rapport sur les principes du gouvernement révolutionnaire* (25 décembre 1793), le discours *Sur les principes de morale politique qui doivent guider la Convention* (5 février 1794), le *Rapport sur les idées religieuses et morales avec les principes républicains* (7 mai 1794).

Saint-Just (1767-1794). — Saint-Just est essentiellement un homme d'action. Il a le don des images frappantes (« Bronzez la liberté »). Comme le dit fort bien
Jean Gratien : « Ses paroles sont de l'action, ne sont que
de l'action. » On ne soupçonnerait guère qu'il s'est risqué
à une épopée satirique avec *Organt* (1789). En 1791, il a
publié *L'Esprit de la Révolution et de la Constitution de la
France.* Ses Discours, ses Rapports, ses Proclamations
où il est l'organisateur et le théoricien de la Terreur sont
éclairés de belles formules. Ainsi à propos de l'amitié,
du mariage ou de la liberté : « La liberté ne doit pas être
un livre, elle doit être dans le peuple, et réduite en pratique. » Quand il réclame une révolution totale, il ne
manque pas d'énergie : « Ceux qui font les révolutions
à moitié, n'ont fait que creuser un tombeau (...). Il s'est
fait une révolution dans le gouvernement, elle n'a point
pénétré l'état civil ; le gouvernement repose sur la liberté,
l'état civil sur l'aristocratie » (Rapport à la Convention,
8 ventôse an II, 26 février 1794). S'il reprend le thème
cher au xviiie siècle du bonheur, c'est pour prêcher
l'austérité : « Nous vous offrîmes le bonheur de Sparte
et celui d'Athènes dans ses beaux jours ; nous vous
offrîmes le bonheur de la vertu, celui de l'aisance et de la
médiocrité ; nous vous offrîmes le bonheur qui naît de
la jouissance du nécessaire, sans superfluité ; nous vous
offrîmes pour bonheur la haine de la tyrannie, la volupté
d'une cabane et d'un champ fertile cultivé par vos mains
(...), une charrue, un champ, une chaumière à l'abri du
fisc, une famille à l'abri de la lubricité d'un brigand,
voilà le bonheur » (Rapport à la Convention, 25 ventôse an II, 3 mars 1794).

Parmi les discours notons encore, un des premiers, le
22 octobre 1792, aux Jacobins (contre la proposition des
Girondins de faire entourer la Convention d'une garde armée) ;
le 4 novembre aux Jacobins sur les armements que les Girondins font entrer dans Paris ; le 13 novembre sur le jugement de
Louis XVI : « Louis XVI doit être jugé comme un ennemi
étranger », suivi d'un second discours le 27 décembre : « Les

rois persécutaient la vertu dans les ténèbres ; nous, nous jugeons les rois à la face de l'univers » (entre ces deux discours celui, sur les subsistances, le 29 novembre). En janvier 1793, Saint-Just se prononce pour la mort du roi, contre la ratification par le peuple, contre le sursis de l'exécution. Discours sur l'organisation du ministère de la Guerre (28 janvier 1793), sur l'organisation de l'armée (12 février), sur la Constitution (24 avril). Le 30 mai il est élu membre du Comité de salut public (rapport contre les Girondins, 8 juillet ; rapport sur l'approvisionnement des armées, 9 août ; rapport sur le gouvernement révolutionnaire jusqu'à la paix, 10 octobre ; rapport sur la loi contre les Anglais, 16 octobre). Le 19 février 1794, le voici président de la Convention (rapport sur les suspects incarcérés, le 26 février ; rapport sur le mode d'exécution du décret contre les ennemis de la Révolution, 3 mars (Mathiez voyait dans les décrets de Ventôse « un vaste transfert de propriété d'une classe à une autre », puisque « toutes les communes de la République dresseront un état des patriotes indigents qu'elles renferment » ; ils seront « indemnisés avec les biens des ennemis de la Révolution »). Rapport sur les factions de l'étranger, 13 mars ; contre les hébertistes ; rapport sur l'arrestation de Hérault de Séchelles, 17 mars ; contre Danton, Fabre d'Eglantine, Philippeaux, Lacroix et Camille Desmoulins, le 31 mars : « Danton, tu as servi la tyrannie : (...). Dans les premiers éclairs de la Révolution, tu montras à la cour un front menaçant ; tu parlais contre elle avec véhémence. (Puis...) « tu fus le complice de Mirabeau, de d'Orléans, de Dumouriez, de Brissot. (...) Mauvais citoyen, tu as conspiré ». Rapport sur la police générale, le 15 juin ; discours pour la défense de Robespierre, le 27 juillet 1794, dont il ne put lire que les deux premiers alinéas : « Je ne suis d'aucune faction, je les combattrai toutes. Elles ne s'éteindront jamais que par les institutions qui produiront les garanties, qui poseront la borne de l'autorité et feront plonger sans retour l'orgueil humain sous le joug de la liberté publique. »

On retrouva après sa mort des notes diverses que l'on publia sous le titre *Institutions républicaines*, ouvrage composite qui contient aussi un début d'*Utopie* : « Je n'aime point les mots nouveaux ; je ne connais que le *juste* et l'*injuste* ; ces mots sont entendus par toutes les consciences. Il faut ramener toutes les définitions à la conscience : l'esprit est un sophiste qui conduit les vertus à l'échafaud. » Le vertueux Saint-Just périt en thermidor.

La contre-Révolution. Les Chouans. — Ce n'est certes pas de talent que manque l'éloquence contre-révolutionnaire, ni de thèmes, mais plutôt de lieux, de possibilités d'expression, à mesure que la Révolution devient une dictature. Il serait certes abusif et réducteur de limiter l'éloquence contre-révolutionnaire à la Vendée. Néanmoins la résistance vendéenne va lui permettre d'éclater au grand jour. Eloquence militaire, éloquence sacrée. Mal connue, jusqu'à une époque récente, encore plus mal connue que la littérature révolutionnaire, cette éloquence anti-révolutionnaire ne manque pas de grandeur, qu'il s'agisse des discours des chefs vendéens stimulant leurs troupes au combat, ou des prêtres exhortant leurs ouailles, dans une atmosphère de clandestinité qui leur semble ramener la pureté de la primitive Eglise. A l'éloquence de Barère excitant la Convention contre la Vendée, s'oppose celle de Charette de La Contrie, de D'Elbée, de Henri de La Rochejaquelein, de Louis Lescure. Le mot d'ordre de La Rochejaquelein vaut tout du discours ; « Si j'avance, suivez-moi, si je recule, tuez-moi, si je meurs, vengez-moi. » L'éloquence des Chouans, que l'on ne connaît parfois que par des témoignages indirects (elle ne bénéficie pas évidemment de toute la publicité que connurent les textes des révolutionnaires), vaut par ce caractère direct, pathétique devant l'horreur de la répression, par l'urgence de l'action, les convictions inébranlables, l'audience incontestablement populaire qui lui donna toute sa portée.

Les accusés et leurs avocats. — Peut-être pourrait-on faire une place à part à tout cet ensemble de textes (dont nous avons conservé une partie, et avec cette distance inévitable qui sépare le texte écrit de ce qui fut prononcé), que constituent les procès si nombreux sous la Révolution. L'orateur là joue sa vie, qu'il soit l'accusé ou celui qui le défend (Malesherbes, Tronchet, de Sèze prennent courageusement la défense du roi). La Terreur, le Directoire sont ponctués par ces vastes procès où se trouve mise en cause et risque d'être anéantie toute une fraction de la Révolution. Des personnages souvent plus modestes apparaissent dans les *Mémoires justificatifs, lettres et pétitions imprimés* écrits par les prisonniers de la Terreur ; à la fois plaidoyers et écrits autobiographiques, ces documents sont du plus grand intérêt. La beauté de certains de ces textes provient-elle uniquement de leur contexte tragique ? L'urgence y resserre la phraséologie ; le modèle antique, la qualité même de la langue confèrent souvent aux plaidoyers et aux interrogatoires une valeur plus qu'esthétique.

Le Directoire. — Le premier Directoire ramène au pouvoir les conventionnels, tels Barras, Reubell, La Révellière-Lepeaux, Carnot, Letourneur ; ces deux derniers seront éliminés au profit de François de Neufchâteau et de Merlin de Douai, lors du second Directoire, en attendant le retour des Jacobins pour le troisième Directoire. Certes, ces hommes savent parler. Barras est éloquent, et François de Neufchâteau ne manque pas de talent littéraire ; cependant la grande période de l'éloquence révolutionnaire est terminée, ou plutôt l'éloquence se trouve ailleurs, d'abord chez les démocrates qui défendent la conjuration de l'égalité ; Babeuf, Buonarotti. L'éloquence de Babeuf, elle, éclate dans son journal, *Le Tribun du peuple*, et il paiera de sa vie l'ardeur de ses convictions. Au Club du Panthéon, que le Directoire fit fermer le 28 février 1796, il exprime sa pensée si neuve avec une éloquence directe, efficace.

L'éloquence des généraux : Bonaparte. — Avec le Directoire, qui a besoin de l'armée, mais à qui finalement l'armée imposera sa loi, se développe une forme d'éloquence dont la nouveauté correspond à la nouveauté même du mode de recrutement. Du jour où l'on a substitué à des armées de mercenaires des armées nationales, la parole devient plus nécessaire et le général doit savoir convaincre ceux qui sont essentiellement des citoyens. Certes, tous les chefs ne sont pas également doués, et d'ailleurs les tendances politiques qu'ils expriment sont diverses, même si, au total, le but est identique : susciter l'ardeur au combat. L'armée Rhin et Moselle avec Pichegru et Moreau est tentée par la contre-Révolution, tandis que l'armée de Sambre et Meuse avec Hoche, et surtout l'armée d'Italie avec Bonaparte, demeurent dans la ligne révolutionnaire.

Par ses succès militaires, par le génie du verbe, la figure de Bonaparte domine. Avec lui s'opère le passage de l'éloquence révolutionnaire à l'éloquence impériale, mais pour la période qui nous retient ici, Bonaparte est encore essentiellement un orateur de la Révolution qui, en tant que tel, en reprend les thèmes fondamentaux, mais que l'urgence du combat oblige à parler avec une sobriété qui n'était pas toujours celle des orateurs à Paris.

Bonaparte avait reçu sa première formation à l'école des Montagnards, son éloquence conserve certains de leurs procédés ; mais il a su laisser tomber ce qui était caduc et inutile : un certain verbiage, l'emphase. La forme qu'il adopte, dans sa précision, dans sa netteté, ferait davantage songer à la tradition jacobine. Nerveuse, tranchante, sa parole née de l'action est faite pour l'action.

C'est peut-être la campagne d'Egypte qui va susciter les plus beaux moments de ce premier temps de l'éloquence chez celui qui est alors le général Bonaparte. Les pyramides l'inspirent. La grandeur du passé, la méditation sur les ruines n'entraînent pas ici de délectation mélancolique, mais s'articulent avec le présent. Cette dimension historique donne à la célèbre exhortation prononcée au pied des pyramides une grandeur, une beauté si frappantes qu'elle s'est inscrite dans la mémoire nationale.

Bonaparte avait écrit des textes politiques et historiques *(Lettre à Buttafoco, Le Souper de Beaucaire)*, des œuvres romanesques *(Clisson et Eugénie, Le Comte d'Essex)*. Mais « Napoléon écrivain, note J. Tulard, c'est avant tout l'auteur de ces proclamations à l'armée, brèves, nerveuses, imagées, dont nul après lui ne retrouvera le ton. » De ces proclamations, nous ne retiendrons que quelques-unes, antérieures à 1800. La première proclamation à l'armée d'Italie, le 27 mars 1796 : « Soldats ! Vous êtes nus, mal nourris (...) Je veux vous conduire dans les plus fertiles plaines du monde. De riches provinces, de grandes villes seront en votre pouvoir ; vous y trouverez honneur, gloire et richesse. Soldats d'Italie, manqueriez-vous de courage ou de constance ? » La proclamation du 10 mars 1797 trace un bilan impressionnant de la campagne « qui vous a donné des titres éternels à la reconnaissance de la patrie ». Une rhétorique des chiffres (nombre de victoires, de prisonniers, de canons, de contributions, d'œuvres d'art prélevés à ennemi) y prouve toute son efficacité.

Dans la proclamation du 14 juillet 1797 qui prépare les soldats à une intervention apparaît déjà l'image de l'aigle. Et après le succès du coup d'Etat, le 22 septembre 1797 : « Soldats ! éloignés de votre patrie et triomphants de l'Europe, on vous préparait des chaînes ; vous l'avez su, vous avez parlé : le peuple s'est réveillé, a fixé les traîtres, et déjà ils sont aux fers. » Le modèle antique est là, fascinant, dans toute l'expédition d'Egypte : « Les légions romaines, que vous avez quelquefois imitées, mais pas encore égalées, combattaient Carthage tour à tour sur cette même mer et aux plaines de Zama. La victoire ne les abandonna jamais, parce que constamment elles furent braves, patientes à supporter les fatigues, disciplinées et unies entre elles » (10 mai 1798). La leçon de tolérance donnée aux armées, lors de l'arrivée à Alexandrie (22 juin 1798), assure la filiation de Bonaparte aux Philosophes : « Ayez des égards pour leurs muftis et leurs imans, comme vous en avez eu pour les rabbins et les évêques. » On pourrait objecter que ces appels à la tolérance ne furent pas toujours suivis d'effet. L'éloquence cependant demeure, et ces textes dont il est d'ailleurs difficile de savoir s'ils correspondent exactement aux discours tels qu'ils furent prononcés.

L'éloquence de Bonaparte ne s'adresse pas seulement aux soldats, elle se manifeste dans les rapports qu'il envoie pendant toute cette période au Directoire. Il s'agit alors d'une éloquence purement écrite, mais qui n'en a pas moins l'élan de la parole. Mais c'est la précision, la concision que recherchent ces rapports. Et pourtant, dans celui qu'il envoie de Milan, au Directoire, le 8 juin 1796, Bonaparte se permet de raconter la brève histoire de la religieuse de Saint-Georges libérée par ses soldats : cette courte nouvelle eût enchanté Diderot, ou Stendhal. Enchaînée depuis quatre ans dans l'*in pace* « elle demanda en grâce à respirer l'air pur ; on lui observa que la mitraille pleuvait autour de la maison : "Ah, dit-elle, mourir c'est rester ici." » L' « exemplum » fait partie de l'art de l'orateur ; ici il contribue à imposer cette image valorisante de l'armée libératrice.

L'éloquence hors de France. — Parce que la Révolution a des incidences sur toute l'Europe, et par-delà sur le monde, et parce que la Révolution s'accompagne toujours d'un discours sur elle-même, puisqu'elle repose sur le rêve, ou le mythe, de convaincre l'autre — même si finalement la violence s'avère hélas plus efficace que la parole — le flot d'éloquence révolutionnaire gagne le monde entier. Puisque nous nous limitons à la littérature française, nous en resterons à la francophonie. Notons d'abord qu'avec la Révolution, le concept même de francophonie (le mot n'existe pas encore) change profondément. Le français n'est plus uniquement la langue des gens bien élevés en Europe, il devient — préparé il est vrai par le cosmopolitisme des Lumières — une langue de combat.

Les régions annexées à la France annexent à leur tour l'éloquence révolutionnaire. Les Savoisiens réclament leur réunion à la France. L'Assemblée nationale des Allobroges proclame, non sans éloquence, « le vœu général de la Nation allobroge, libre et indépendante » d'être réunie à la France. Le Vaucluse, Nice ont aussi leurs orateurs. La Belgique procède à l'élection de nouvelles Assemblées communales et provinciales où l'affrontement de tendances contraires se fait par la parole tandis que les réticences de l'Eglise belge s'expriment aussi par l'éloquence de la chaire.

La situation des colonies françaises fut, comme on sait, troublée et complexe durant la Révolution française. Toussaint-Louverture (1743-1803) utilise le français comme langue de la liberté — en attendant que la France, sous la forme de l'armée de Leclerc envoyée par Bonaparte, ne l'arrête et ne l'interne au fort de Joux. Il y a là tout un secteur très mal connu de l'éloquence révolutionnaire, et qui risque d'ailleurs de nous échapper à jamais, puisque nous ne connaissons les discours de cette époque que dans la mesure où ils ont été transcrits et où l'écrit a été conservé.

Bilan. — Si elle n'avait été scellée dans le sang, la Révolution pourrait apparaître essentiellement comme un débordement de la parole, un terrible déversement de mots, une prise de pouvoir de l'éloquence. Tout vient du Verbe, et aboutit à lui. On peut certes s'indigner, comme le fait avec beaucoup de talent R. Etiemble, lorsqu'il dénonce : « Quel singulier usage du vocabulaire ! *esclavage* et *liberté*, *peuple* et *aristocrate*, *crime* et *vertu*, *traître* et *patriote* y sont pris, comme toujours en période de guerre civile, avec les acceptions les plus fausses, les plus polémiques. » On sourirait, si le contexte n'était pas si grave, de l'abus de la rhétorique, de l'usage intempestif de la référence antique. Les sceptiques se demanderont ce que pouvait comprendre le peuple de Paris, privé d'accès à la culture, lorsqu'on lui parlait de Rome. Et en quoi les soldats du général Bonaparte pouvaient-ils être électrisés par le rappel de la bataille de Zama, eux qui avaient dans leur enfance plus peiné dans leurs champs que sur les bancs des collèges ? Et pourtant...

Etudiant cette éloquence, tant d'années après, on est amené aussi à se poser des questions (que l'on se pose d'ailleurs tout aussi bien pour les orateurs antiques). Nous n'entendrons jamais la voix de ces hommes politiques, comme nos descendants pourront entendre celle des hommes de notre temps. Nous ne connaissons leur éloquence que par l'écrit. La parole est toute-puissante, certes, mais la plupart du temps le texte prononcé a été préparé, partiellement écrit ; en tout cas, le texte que nous possédons, c'est celui qui a été publié dans la presse de l'époque, et qui a vraisemblablement subi des transformations, du fait de l'auteur lui-même ou de ses transcripteurs. Il y a donc une circulation incessante de l'écrit à la parole, de la parole à l'écrit. Et l'écrit se trouve vivifié par ce souffle qui, par-delà tant d'années, le soulève encore. La grande éloquence romantique (même si nous ne nions pas qu'elle puisse être redevable à bien d'autres, à Cicéron ou à Bossuet, mais l'éloquence révolutionnaire leur est aussi redevable) est née pendant ces années de tumulte, d'enthousiasme et d'angoisse. Une filiation s'établit de Mirabeau à Lamartine défendant tous deux le drapeau tricolore.

Les textes juridiques. — On dissocie difficilement l'étude de l'éloquence révolutionnaire de la production des textes juridiques et administratifs pendant cette période : ils émanent des mêmes hommes ; le projet de loi est souvent proposé à la suite d'un discours, il est appuyé, défendu par l'éloquence, et il contient sa propre éloquence, même s'il s'efforce à plus de sobriété et de précision, s'il ne s'agit plus de convaincre, mais d'édicter.

La production de textes juridiques (Déclaration des droits de l'homme, Constitutions de 1791, 1793, 1795, lois, décrets) est considérable, signe de l'activité de la Révolution, de son désir de construire un monde neuf, de son histoire mouvementée également. Tous, bien entendu, n'ont pas un intérêt littéraire. On peut certes analyser les procédés rhétoriques, la thématique, le vocabulaire, les effets rythmiques dans ces lois et ces décrets de la Révolution. On y voit le *pathos* céder le pas au souci de précision. On notera que, dans leurs idées comme dans leur formulation, ces textes, même s'ils bénéficient de la réflexion juridique de l'Ancien Régime, sont fondamentalement neufs. Stendhal s'extasiera sur le style du Code civil ; ce style il s'élabore pendant la période révolutionnaire, à travers ces décrets, ces textes administratifs souvent ingrats. On y trouve certes un goût pour la déclamation que le Code civil aura tendance à bannir, mais qui leur donne leur véritable sens par rapport à l'événement : c'est la réalité elle-même qui est déclamatoire et tragique. Parfois cependant on se demande si quelque humour ne peut pas aussi se glisser là. Encore faudrait-il savoir ce que pensaient réellement les rédacteurs de ces textes, et s'il y avait une possibilité de distanciation, dans un tel contexte.

Ne pouvant aborder ici que quelques textes, nous nous bornerons à l'examen dans des perspectives littéraires de la célèbre Déclaration des droits de l'homme et des Constitutions de l'époque révolutionnaire ; c'est là que l'intérêt, la portée générale, la nécessité de viser à la durée ont entraîné la plus grande qualité de la rédaction.

Les Constitutions. — Comme l'écrit très justement J. Godechot, les Constitutions « appartiennent au patrimoine littéraire de la France ». Travail énorme que ces Constitutions qui se succèdent à vive allure (Constitution de 1791, de 1793, de 1795, en attendant celles de l'an VIII, l'an X, l'an XII). A quoi, il faudrait ajouter une foule de décrets, de lois, de cette période.

Précédant ces Constitutions et les éclairant comme un fanal, la célèbre *Déclaration des droits de l'homme et du citoyen* (26 août 1789), avec son préambule et ses dix-sept articles. Ces tables de la Loi ont valeur d'éternité par la force et la simplicité des termes.

1791, 1793, 1795 : trois temps différents de la Révolution ; trois styles. 1791, c'est encore le style des Lumières ; 1793, celui de l'ardeur révolutionnaire moralisante, grandiloquente, généreuse et sanguinaire à la fois ; 1795, c'est le style du bourgeois réaliste, précis, organisateur, le Code civil n'est pas loin. Ces trois textes ont leur beauté, mais ce n'est pas la même. Ils prouvent avec quelle vitesse a évolué l'esprit de la Révolution, et qu'un esprit, c'est un langage. Trois temps, trois constitutions, trois langages, et chaque fois séparés par deux ans. Jamais l'esthétique et la politique que l'on ne peut ici moins que jamais dissocier, n'étaient allées aussi vite.

CHAPITRE IV

LE JOURNALISME

Il y a quelque artifice, nous l'avons signalé, à séparer l'éloquence et le journalisme. La presse sert souvent essentiellement à la transcription du discours. Les procédés, les thèmes sont les mêmes dans l'article de journal, dans le pamphlet, à la tribune. Ce sont les mêmes noms que l'on retrouve, inévitablement. Aussi nous attacherons-nous plus, dans ce chapitre, aux journaux qu'aux journalistes[1].

La liberté de la presse. — La liberté de presse fut à la fois l'objet de toute une littérature et la condition même de la fécondité de la création révolutionnaire. Comme elle ne concerne pas seulement la presse périodique, mais l'ensemble de la production littéraire, nous l'avons déjà évoquée dans nos vues d'ensemble ; dans le domaine du journalisme plus encore que dans les autres, le lien de cause à effet entre liberté et fécondité est particulièrement spectaculaire ; aussi est-on inévitablement amené à distinguer trois temps qui correspondent très exactement aux divers régimes que connut la presse : 1789-1792, c'est la grande liberté et le prodigieux foisonnement ; 1793-1794, c'est un brusque appauvrissement, conséquence de la Terreur ; 1794-1799, c'est d'abord une renaissance avec le retour de la liberté, mais peu à peu la liberté de presse meurt à nouveau, et la production s'en ressent immédiatement.

1. Ce chapitre est très redevable à J. Godechot, La Presse française sous la Révolution et l'Empire, in *Histoire générale de la Presse française*, t. I, PUF., 1969.

Les journaux sous la Révolution. — C'est peut-être surtout cette prolifération de journaux, de brochures, de pamphlets qui caractérise la production littéraire de la Révolution. « Des milliers de brochures de toutes dimensions, écrites dans tous les sens et dans tous les styles, circulant au même instant à Versailles, à Paris, dans tout le royaume : des adresses, des pétitions, des lettres, des mémoires, des vues financières ou politiques, les écrits de tout genre que font naître les grandes questions constitutionnelles, le *veto*, le droit de paix et de guerre, le cens électoral, les biens du clergé, les assignats, la réorganisation des tribunaux, celle de l'armée, et mille autres objets importants à l'ordre du jour » (L. Gallois). Après ce premier temps d'effervescence, la presse, qui à partir de 1792 n'est plus libre, n'en demeure pas moins vivace et prolifique.

A) *1789-1792*

Les périodiques de l'Ancien Régime. — Ils étaient surtout littéraires et survivent les premiers temps de la Révolution : essentiellement la *Gazette de France* qui remontait à 1631, pendant longtemps hebdomadaire ; bi-hebdomadaire en 1789, elle est devenue quotidienne à l'époque où elle cesse de paraître (août 1792, pour s'appeler *Gazette nationale de France* ; reprend son titre en décembre 1797). C'était le journal officiel de la Cour : on comprend qu'il ne participa pas à l'exaltation patriotique. Le *Mercure de France* qui lui aussi remontait au XVIIe siècle (1672), est surtout littéraire, mais depuis 1784, paraissait une feuille plus politique, confiée les derniers temps à Mallet du Pan, et qui manifesta des opinions contre-révolutionnaires durant la Constituante et la Législative. Le *Mercure*, parce qu'il n'était pas quotidien, pouvait d'ailleurs difficilement suivre les événements révolutionnaires : la vitesse avec laquelle ils se succèdent appelle une presse quotidienne. Le *Mercure* cessa de paraître en 1791, mais pour reparaître sous le titre de *Mercure français* (il reprendra l'an VII le titre de *Mercure de France*). Les anciens rédacteurs, Laplace, Ginguené, Chamfort, Naigeon, ont été remplacés par Suard, Rabaut-Saint-Etienne. La politique est traitée par Geoffroy. Marmontel, Garat, La Harpe sont demeurés. Le *Mercure français* dura sept ans.

D'autres journaux de l'Ancien Régime continuent à paraître : les *Nouvelles ecclésiastiques*, jansénistes, survécurent jusqu'en 1803 ; le *Journal de Paris* également, avec une interruption en août 1792 et reprise en octobre ; y collaboraient Garat, Condorcet, Sieyès, Cabanis. Mallet du Pan publiait toujours le *Journal historique et politique* (fondé à Genève, 1772-1792).

Les nouveaux journaux. — Les assemblées de notables qui précèdent la Révolution vont déjà susciter de nouvelles parutions : le *Journal ecclésiastique* de Barruel (1787-1793), *Le Hérault de la Nation* (1er juin-30 juin 1789) de Mangourit, l'éphémère *Sentinelle du Peuple* de Volney (10 novembre-25 décembre 1788), le non moins éphémère *Moniteur* de Londres. Le *Journal général de l'Europe* fut plus durable (juin 1785-1790). La censure existe encore : *Le Hérault de la Nation* est plus fidèle aux idées du ministère qu'il n'annonce véritablement la Révolution lorsqu'il réclame l'effacement de la noblesse d'épée et de robe : « Point d'ordres privilégiés, plus de parlements ; la nation et le roi. »

Mangourit est un ancien diplomate qui fut consul de France à Charlestone. *Le Hérault de la Nation* se dresse contre la noblesse bretonne et veut démasquer les aristocrates « s'ils visent à la tyrannie ».

Sur Volney, cf. *supra*, p. 22-23. L'auteur des *Ruines* s'adresse aux riches : « Cessez d'affamer l'homme pauvre » ; il demande l'égalité devant l'impôt, le contrôle des charges fiscales. Le n° 2 de *La Sentinelle du Peuple* fait l'apologie de Necker ; le journal rencontra un grand succès.

Notons encore : *Tout ce qui me passe par la tête* (23 novembre-10 avril 1789), satirique, mais politiquement modéré. Il s'attaque à la vénalité des offices et à la magistrature : « Un imbécile avec 100 000 livres achète le droit de disposer de la fortune, de la vie et de l'honneur des hommes. »

La presse politique n'est pas encore vraiment née, et on trouve plus de virulence dans les brochures, telle celle de Sieyès : *Qu'est-ce que le Tiers Etat* ? ou *Les Intérêts du Tiers Etat* de Rabaut Saint-Etienne ou même dans certains cahiers de doléances.

L'ouverture des Etats généraux suscite une floraison d'écrits périodiques. A partir de là, commence vraiment le grand essor de la presse politique ; et devant la surabondance des journaux, on est obligé à un choix, et à opérer un classement par tendance politique :

Gauche modérée. — Du côté modéré, il faut faire une place importante à deux pionniers : Mirabeau et Brissot.

Mirabeau fit paraître 19 *Lettres du comte de Mirabeau à ses commettants.* La dix-neuvième lettre commente la prise de la Bastille : « Si la colère du peuple est terrible, c'est le sang-froid du despotisme qui est atroce, ses cruautés systématiques font plus de malheureux en un seul jour que les insurrections populaires n'immolent de victimes pendant des années. » Ensuite son journal s'appelle *le Courrier de Provence* (très volumineux, 350 numéros) qui ne survit que six mois (30 septembre 1789) à la mort de Mirabeau.

Le Patriote français de Brissot (avril, 25 juillet 1789-2 juin 1793) était très lu : « Les régions où on lisait le plus *le Patriote* furent celles qui manifestèrent le mieux, en 1793, leur adhésion aux idées "girondines" » (J. Godechot). *Le Patriote* définit le caractère patriotique selon des modèles antiques d'austérité et de républicanisme. Ce journal s'insurge contre le clergé et considère la religion comme « incompatible avec la Révolution ». La liberté de presse y est défendue activement. Brissot proclame « Je hais la royauté » ; « Je désire que ma patrie devienne une République. » Brissot qui avait fondé dès 1788 la Société des Amis des Noirs, milite aussi en faveur de l'égalité des races, et contre la traite. Ce journal est « un des plus caractéristiques de la presse révolutionnaire » (J. Godechot).

Autres journaux que l'on peut classer dans cette tendance révolutionnaire modérée : *La Chronique de Paris* (24 août 1789-25 août 1793) de Millin et Noël où collaborent Condorcet, Anarcharsis Cloots ; *La Chronique du mois* (novembre 1791-juillet 1793) avec Brissot, Collot d'Herbois ; *La Bouche de fer* (janvier-juin 1790 ; octobre 1790-juillet 1791), d'inspiration maçonnique, avec l'abbé Fauchet et Bonneville ; *La Sentinelle* de Louvet (mai 1792-1793 ; 6 messidor an III-14 floréal an VI) ; les *Annales patriotiques et littéraires* de Carra et Mercier (1er octobre 1789-30 frimaire an III ; 1er nivôse an III-12 messidor an VI) ; *Le Thermomètre du jour* de Dulaure (11 septembre 1791-25 août 1793).

Extrême gauche. — Les Révolutions de Paris (12 juillet 1789-28 février 1794) dont les éditeurs furent Tournon et Prudhomme (qui se séparent au n° 15) et dont l'animateur fut Elysée Loustallot (mort en septembre 1790), où écrivent Chaumette, Sylvain Maréchal, Fabre d'Eglantine. Loustallot qui écrit une sorte d'éditorial, est partisan de la démocratie directe et de l'égalité, même économique. Il se méfie de Mirabeau, de La Fayette, de Barnave, de ceux qui lui semblent trop modérés.

Les Révolutions de France et de Brabant (28 novembre 1789 - juillet 1791) de Camille Desmoulins (1750-1794). Divisé en trois parties, la France, le Brabant c'est-à-dire la Belgique, les Variétés (chroniques de livres, de théâtre, etc.). Violemment anti-monarchique, Desmoulins réclame, après la fuite de Varennes, l'instauration de la République. Il est à peu près le seul rédacteur. Son esprit, son insolence se manifestent dans le pamphlet : *Histoire des Brissotins* (1793) qui vise Brissot ; avec Danton, il s'oppose à la Terreur. Ses *Révolutions de France et de Brabant* (et surtout son *Vieux Cordelier*) rencontrèrent un immense succès. Son tempérament éclate partout. Certes, il n'échappe pas à une certaine emphase, à un goût pour la référence classique qui sont des traits fort répandus de l'éloquence révolutionnaire. Il est un descendant de Tacite, c'est un véritable écrivain, passionné, passionnant. Ses lettres écrites de prison montrent de façon poignante la révolte d'un homme jeune contre la mort, ses adresses à Lucile sont émouvantes (cf. *infra*, p. 64).

Dans *L'Ami du Peuple* (septembre 1789-14 juillet 1793 ; d'abord *Publiciste parisien*), Marat fait tout ; la police nuisit à la périodicité de cette publication. Sa violence est extrême ; il réclame des têtes à abattre « fallut-il en abattre vingt mille, il n'y a pas à balancer un instant » (18 décembre 1790). C'est au nom du bonheur du peuple qu'il réclame cette violence. « La chute du trône le 10 août 1792 et surtout les massacres de septembre suivant furent en partie la conséquence de l'action menée par *l'Ami du Peuple* » (Godechot).

Le Père Duchesne (novembre 1790-1794) de Hébert pousse la violence jusqu'à la grossièreté ; mais cette vulgarité manifeste une vitalité épique, et profondément populaire (un Père Duchesne est une sorte de guignol). Il y eut nombre de *Père Duchesne*, chargés d'exprimer la voix du peuple. Celui d'Hébert domine les autres et prétend (il n'est pas le seul : Lemaire aussi) être le premier et « le véritable Père Duchesne ». Ses tendances politiques ont varié, suivant la courbe de la Révolution. Au début il est favorable à Mirabeau. C'est à partir de 1791 qu'il devient violent contre les aristocrates. Il ne rêve pas d'égalité économique, mais veut atténuer les inégalités ; il voudrait un christianisme primitif digne du « Jacobin Jésus ». Ce qui explique le succès du *Père Duchesne (La grande colère... La grande joie du Père Duchesne)*, c'est « la verve, la mise en scène » (J. G.) proche des parades de la foire. Mais son succès ne fut pas uniquement populaire.

Autres journaux d'extrême gauche :

Le Défenseur de la Constitution de Robespierre (19 mai 1792-10 août 1792 ; qui se continue par *Lettres de M. Robespierre... à ses commettants* jusqu'au 15 mars 1793) est d'un style tout différent. Robespierre est à peu près le seul rédacteur. Autant le style d'Hébert est bouillant et grossier, autant celui de Robespierre est froid et correct. Ce périodique fut le fanal des robespierristes, et à ce titre, eut une grande importance historique.

La presse contre-révolutionnaire. — Elle présente tout autant d'abondance, de variété et de virulence que la presse révolutionnaire. Les anciens journaux autorisés avant 1789 sont royalistes, mais avec des nuances diverses. Citons le *Journal général de France* (abbé de Fontenai, 1785-1792). *La Gazette* de Panckoucke se refuse d'abord à rendre compte des événements révolutionnaires même les plus spectaculaires (la prise de la Bastille !). Mais au printemps 1792, Chamfort en assure la rédaction, elle devient girondine, quotienne.

Le *Journal de Paris* (1er janvier 1777-30 septembre 1811), donne des comptes rendus des séances des Assemblées (au début de la Révolution, sous la plume de Garat) et publie des « lettres de lecteurs » (André Chénier, Dupont de Nemours, etc.). Il tire à 12 000 exemplaires, semble-t-il, ce qui est un gros tirage.

Le *Mercure de France* qui a alors comme rédacteur principal Mallet du Pan, défend avec chaleur la liberté de presse, est partisan de la monarchie constitutionnelle, et se fait le porte-parole des Feuillants. En avril 1792, Mallet dut se réfugier en Suisse, son pays d'origine. Le *Mercure* survit en s'appelant *Mercure français* (17 décembre 1791-an VII) ; puis reprend son nom.

Des journaux nouveaux apparaissent : *l'Ami du Roi* (1er septembre 1790-4 mai 1792) de l'abbé Royou, Suard, Mallet du Pan ; *Le Modérateur* (1er février-17 avril 1790) de Flins, de Fontanes, d'abord *Journal de la Ville* (1er octobre-31 décembre 1789) ; le *Journal des Impartiaux* (4 février-17 avril 1790), le *Journal des*

Amis de la Constitution monarchique (18 décembre 1790-18 juin 1791), le *Journal général* (1er février 1791-10 août 1792) de l'ancien jésuite Fontenai dont la diffusion est forte dans l'Ouest ; la *Gazette universelle* (1er décembre 1789-10 août 1792) de Cerisier, violent adversaire du *Patriote français*, exprime les idées des Feuillants (Lameth, Barnave). Certains de ces journaux sont subventionnés directement par la Cour, ainsi *l'Ami des Patriotes* de Regnault de Saint-Jean d'Angély (27 novembre 1790-août 1792).

Les feuilles se multiplient qu'on ne saurait énumérer ici. Une des plus pittoresques : *La Rocambole des Journaux, ou histoire aristo-capucino-comique de la Révolution* (juin 1791-5 août 1792). Son style est tout aussi violent et ordurier que celui du *Père Duchesne*, quoiqu'il défende une cause opposée. Ce journal vaut davantage par sa verve que par sa doctrine politique, assez mal structurée, qui se résume dans une horreur de la Révolution, de la liberté, de l'égalité, etc.

Le Petit Gautier ou *Journal de la Cour et de la Ville* (15 septembre 1789-10 août 1792) a un ton plus posé. Au début (15 septembre 1789), il n'est pas hostile à la Révolution. Il va le devenir, et deviendra même d'extrême-droite : il fut l'objet de pillages répétés de la part des Patriotes que son succès offusquait. On y trouve une lutte acharnée contre les Jacobins. Le Révolution lui semble inutile et dangereuse : il suffisait de réformer quelques abus.

Parmi les journalistes de droite, une place toute particulière doit être faite à Rivarol (1753-1801 ; mais d'autres journalistes de ce bord méritent d'être étudiés, ainsi, J.-C. Peltier, 1760-1825). Rivarol possède un style, le don de la formule, de la répartie, un esprit redoutable pour ses adversaires. Il a surtout, ce que n'ont certes pas tous les anti-révolutionnaires (ni tous les révolutionnaires) une doctrine politique cohérente et structurée. Il est déçu par Louis XVI : « Comme roi, il méritait ses malheurs, parce qu'il n'a pas su faire son métier, comme homme, il ne les méritait pas. Ses vertus le rendirent étranger à son peuple. » Il aurait voulu qu'il fît une Révolution sans consulter les Etats généraux. « Lorsqu'on veut empêcher les horreurs d'une Révolution, il faut la vouloir et la faire soi-même. » Cette Révolution aurait consisté à supprimer des abus, et même certains privilèges de la noblesse et du clergé, à adopter un système de deux chambres, mais avec le veto absolu du roi. Sa pensée politique, Rivarol l'a exprimée dans ses lettres, par ses mots devenus célèbres (Chênedollé les a réunis en 1808, dans *L'Esprit de Rivarol*), mais surtout dans ses articles.

Le *Journal politique national* (1789-1790) dont il fut le directeur, eut 55 numéros et disparut en 1790 : « Nous comptons parmi ceux qui nous haïssent les ennemis de la paix, de l'autorité royale, de la félicité publique et du sens commun. » Rivarol est aussi l'animateur des fameux *Actes des Apôtres* (novembre 1789-octobre 1791) où participent une vingtaine de collaborateurs. Journal qui a eu beaucoup de succès, qui présentait une forme très variée (articles, chansons, épigrammes, pièces de théâtre, etc.). L'attaque est virulente contre les hommes de la Révolution, leurs journaux, la Constituante, etc.

Citons encore, le *Journal de M. Suleau* (1791-1793, Suleau a été un collaborateur des *Actes des Apôtres* ; il émigra à Bruxelles), la *Gazette de Paris* de Du Rozoi (1er octobre 1789-10 août 1792), *L'Ami du Roi* de l'abbé Royou, accusé par la Législative « d'abus de la liberté de la presse ». Cf. *supra*, p. 59.

Divers. — Pour donner une idée de l'abondance de la presse sous la Révolution, il faut encore mentionner des journaux que J. Godechot classe parmi les « journaux d'information », et qui, pour se tenir à l'écart de la polémique, n'en gardent pas pour autant une neutralité pratiquement impossible.

Le *Moniteur universel* (5 mai 1789-1865) fondé par Panckoucke, le père du journalisme moderne, avec La

Harpe, Garat, Ginguené, Rabaut Saint-Etienne. Il nous donne de très précieux renseignements pour l'histoire de la Révolution. Panckoucke, nourri par les Philosophes, est favorable à une Révolution modérée, non républicaine. Les feuilles d'information sont nombreuses : *Journal des Etats généraux* (27 avril 1789-10 septembre 1791), *Le Courrier français* de Poncelin puis *Courrier républicain* (juin 1789-fructidor an V), *Le Point du Jour* de Barère (19 juin 1789-21 octobre 1791).

Une presse spécialisée qui existait avant l'Ancien Régime, poursuit son existence : *Journal des Savants* (1665-1792), *Journal de Médecine, de Chirurgie et de Pharmacie* (1758-1793), *Journal ecclésiastique* de Barruel (1787-1793).

La véritable innovation, c'est la création par Cerutti de *La Feuille villageoise* (30 septembre 1790-23 thermidor an III), premier journal politique à s'adresser à des paysans, non pour des questions strictement agricoles, mais pour une information générale. « Des lois, des événements, des découvertes qui intéressent tout citoyen. » Paradoxe d'un journal qui s'adresse à des illettrés, mais qui leur sera lu par les curés ou les instituteurs. Ce fut un grand succès. Fondée le 30 septembre 1790, elle cesse de paraître le 10 août 1795. Les lettres des lecteurs proviennent du clergé catholique ou protestant, des fonctionnaires, de membres de professions libérales.

Certes il existait des journaux féminins avant la Révolution, ils vont participer de cette fécondité générale : *Journal de la mode et du goût* (25 février 1790-15 février 1792) qui prolonge *Le Cabinet des Modes*, et devient révolutionnaire (réclame le divorce). Les *Etrennes nationales de Dames* combattent pour la liberté des femmes, et que leur soit donné un rôle politique. *Le Courrier de l'Hymen* (1791) engage aussi le combat féministe.

Le bouillonnement de la presse n'est pas un phénomène exclusivement parisien. La province aussi est active, mais on connaît moins cette presse dont le recensement est plus difficile. Le *Journal de Marseille* (an III), fondé par Ferréol Beaugeard, qui se veut objectif, est modéré, et déplore la violence, *L'Anti-royaliste* est d'un ton plus vif, *La Vedette* (an II) de Besançon est publiée par « une société de gens de lettres amis de la Constitution ». Le directeur, l'abbé Dormoy, est Jacobin, antireligieux, hostile aux prêtres réfractaires et fut accusé de régicide, parce qu'il s'oppose au veto royal. Grande activité journalistique aussi à Bordeaux, à Rouen, à Lyon, à Grenoble.

B) *Sous la Terreur*

La lutte entre Girondins et Montagnards oppose deux groupes de journaux. Du côté girondin : *Le Patriote français* (dir. Girey-Dupré), les *Annales patriotiques* (Carra et Mercier), le *Journal de Paris* (Condorcet), *La Sentinelle* de Louvet, et des nouveaux : le *Bulletin des Amis de la Vérité* (31 décembre 1792-30 avril 1793), le *Journal des Amis* (6 janvier-16 juin 1793), le *Journal français* (15 novembre 1792-2 juin 1793). Du côté montagnard : *Le Père Duchesne* d'Hébert, le *Journal de la République française* de Marat, *Le Républicain, journal des hommes libres de tous les pays* (2 novembre 1792-27 fructidor an VIII), *Le Batave* (15 février 1793-30 septembre 1793) et surtout les *Lettres à mes commettants* de Robespierre (19 octobre 1792- 23 avril 1793).

Bientôt les journaux qui paraissent sont exclusivement montagnards et diffusent essentiellement les débats de la Convention : le *Bulletin de la Convention* (22 septembre 1792-3 brumaire an IV), le *Bulletin des lois de la République*. A quoi s'ajoutent les journaux d'information que subventionnent les montagnards : *Le Moniteur*, le *Journal des débats*, le *Courrier universel*, le *Mercure universel*, le *Journal du soir*, les *Annales de la République française*, le *Journal de France*. Certaines feuilles sont envoyées gratuitement aux armées : *Journal de la Montagne* (1er juin 1793-28 brumaire an III), *Père Duchesne*, etc. Il existe une presse spécialement conçue pour les soldats.

Il n'y a cependant pas une uniformité absolue dans la presse montagnarde. *Le Père Duchesne* réclame avec son incomparable virulence la liberté économique : « Comment, tonnerre de dieu, nous ne mettrons pas à la raison les riches, ces égoïstes infâmes, ces accapareurs, tous ces scélérats qui affament le peuple ! C'est donc un parti-pris de nous faire périr de froid et de faim. » *Le Publiciste de la République française* (1er avril-14 juillet 1793) de Jacques Roux, continuateur de Marat, s'attaque énergiquement aux propriétaires, aux gros marchands. *L'Ami du Peuple* de Lebois, *Le Rougyff* de Guffroy sont déchaînés (juillet 1793-9 prairial an II).

Mais certains ont le courage de s'opposer aux enragés, ainsi cet ancien ouvrier typographe, Roch Marcandier dont le style est assez proche du *Père Duchesne*, et qui publie en mai 1793 : *le Véritable ami du Peuple par un sacré bougre de sans-culotte qui ne se mouche pas du pieds, foutre, et qui le fera bien voir.* Dans l'opposition des « dantonistes » aux hébertistes, *Le Vieux Cordelier* de Camille Desmoulins (5 décembre 1793-pluviôse, an II) hostile à la Terreur connaît une large audience. Desmoulins voit chez les hébertistes un complot pour éliminer les chefs de la Révolution, il les accuse de la déchristianisation, s'en prend aux mesures économiques de la Révolution, réclame la paix, le tout dans un style néo-antique d'une grande tenue littéraire, aux antipodes de la verve populaire du *Père Duchesne*. Camille Desmoulins est arrêté, le no 7 paraît après son exécution. Le Tribunal révolutionnaire condamna et exécuta à la fois Hébert, Danton et Roch Marcandier.

C) *Du 9 thermidor an II au 18 brumaire an VIII*

La presse de droite. — *L'Orateur du peuple* (25 fructidor an II-25 thermidor an III) de Louis-Stanislas Fréron. D'abord favorable à la Révolution, Fréron, probablement à la suite de l'exécution des Desmoulins, était devenu hostile à Robespierre, il reprend alors la publication de ce journal qui avait déjà existé, mais dans un esprit tout différent (mai 1970-septembre 1792). *L'Ami des citoyens*, de Tallien avait aussi paru auparavant (5 octobre 1791-30 vendémiaire an III), il reparaît après la chute de Robespierre (1 brum.-30 pluviôse an III), avant de devenir *Le Spectateur français ou l'Ami des citoyens* (1er ventôse-16 germinal an III). Tallien déclare énergiquement une guerre à mort « à tous ces patriotes de deux jours, à tous ces insectes méprisables qui ne parlent de liberté que pour en faire haïr le nom ».

D'autres journaux sont plus franchement anti-révolutionnaires : Les *Nouvelles politiques nationales et étrangères* (suite de la *Gazette universelle*). Suard, Guizot, Dupont de Nemours, Barante, Lacretelle jeune, l'abbé Morellet y collaborent. Lacretelle condamne vigoureusement la politique de Bonaparte (« Faut-il une Révolution en Italie ? » « Nouvelles réflexions sur la guerre et la paix »). Après une interruption, elles reprendront sous le nom de *Publiciste* (7 nivôse an VI-1er novembre 1810). Le *Journal des Débats* (29 août 1789), passera aux mains des frères Bertin en 1799 : il est « bien pensant ».

Divers journaux royalistes : *Le Censeur des journaux* de Gallais, l'*Accusateur public* de Richer-Serisy, le *Courrier français* de Poncelin, *Le Thé*, fort satirique (27 germinal-19 fructidor an V), *Les Actes des Apôtres et des Martyrs*.

La presse de gauche. — Elle fut surtout active pendant la Convention thermidorienne et au début du Directoire. Citons *L'Orateur plébéien* d'Eve Demaillot et Leuliette (1er frimaire-130 germinal 1794), *L'Ami du Peuple* de Lebois qui sont Jacobins mais ne veulent pas d'une réforme sociale radicale.

Plus intéressant *Le Tribun du Peuple* (14 vendémiaire an III-5 floréal an IV) de Babeuf (d'abord *Journal de la liberté de la presse*) (17 fructidor an II-vendémiaire an III). Très lucidement, Babeuf distingue deux courants

65

dans la Révolution « l'un la désire bourgeoise et aristocratique, l'autre entend qu'elle demeure populaire et démocratique ». Il réclame que soient appliquées les lois sociales votées par la Convention (subsides aux infirmes, aux enfants, aux vieillards, enseignement obligatoire et gratuit, droit au travail). Babeuf fut emprisonné du 15 mars au 18 octobre 1795. Il entre en contact avec Buonarotti. Quand il reprend la publication du *Tribun*, c'est avec un objectif politique plus précis. Le 30 décembre 1795, il publie le *Manifeste des plébéiens* (« la propriété individuelle est la source principale de tous les maux qui pèsent sur la société »). Il réclame un gouvernement communiste, seul capable d'instaurer le bonheur des citoyens. Cette doctrine sera exposée et défendue systématiquement par *Le Tribun* jusqu'à sa disparition (24 avril 1796). Accusé de conspiration, Babeuf fut condamné et exécuté. *Le Tribun* n'avait que 590 abonnés (dont 238 en province), mais il était lu dans les cafés, les clubs. De la même tendance et propageant la même doctrine : *L'Eclaireur du peuple* (12 ventôse-8 floréal an IV).

Hostile au Directoire, également, le *Journal des Hommes libres* (2 novembre 1792-27 fructidor an VIII), d'inspiration jacobine et qui parut avec des interruptions et en changeant de titre. *L'Ami des Lois* (an III-11 prairial an VIII) de Poultier est « le journal des républicains » nantis, des acquéreurs de biens nationaux (J. Godechot).

Journaux gouvernementaux. — Le Directoire subventionne *Le Rédacteur* (25 frimaire an IV-28 nivôse an VIII) et le *Journal des défenseurs de la Patrie* (28 germinal an IV-3 ventôse an X) qui s'adresse plus particulièrement aux soldats. En outre il distribue certaines subventions, fait insérer des articles dans d'autres journaux, au *Moniteur*, au *Journal de Paris* par l'intermédiaire du « bureau politique », qui rédige le *Bulletin décadaire de la République française*. La *Gazette nationale* ou *le*

Moniteur universel de Panckoucke (depuis 24 décembre 1791) deviendra en 1803 le *Journal officiel*.

La presse spécialisée. — *La Décade philosophique* (10 floréal an II-21 septembre 1807), a été créée par Ginguené, et a pour collaborateurs Amaury Duval, Andrieux, J.-B. Say. Elle devient l'organe du parti des Idéologues ; elle est républicaine, mais avec prudence. Pour l'histoire des idées, elle eut un rôle capital. Elle sera supprimée autoritairement par Napoléon. La presse religieuse est active aussi (*Annales religieuses*, puis *catholiques* (1796-1797) ; *Annales de la religion* de l'abbé Grégoire, Lanjuinais (2 mai 1795-novembre 1803).

La presse féminine renaît (Robespierre avait fait fermer les clubs de femmes). Non certes les journaux vraiment féministes, mais les journaux de mode (*Journal des Dames et des Modes* (juin 1797-1838) avec de très belles gravures de La Mésangère, Horace Vernet, Gavarni. *La Mouche* paraîtra sous le Consulat ; intéressante, la *Correspondance des dames* (1799).

La presse provinciale connaît aussi un renouveau après la chute de Robespierre. Le *Journal de Marseille* (an III) de Ferréol Beaugeard, reprend en juin 1795. Il défend un idéal bourgeois d'enrichissement, de stabilité familiale (« Plus le riche dépense, et plus l'ouvrier gagne ») ; il est hostile à Babeuf, espère que Bonaparte chassera les révolutionnaires de Milan. A Toulouse paraît *L'Anti-terroriste* (1796-1797) qui s'insurge contre les « anthropophages toulousains ». Sans être franchement royaliste, il embouche la trompette de tous les thèmes de la réaction. Diverses feuilles conservatrices, mais aussi jacobines se multiplient en province.

Dans les pays annexés. — « L'entrée des soldats français provoqua une extraordinaire floraison de journaux, comparable en tous points à celle qui s'était produite en 1789 » (J. Godechot). Ils sont parfois en français : *La Gazette révolutionnaire* de Liège (22 septembre 1794-31 août 1824), *Le Républicain du Nord* à Bruxelles (14 brumaire an IV-30 germinal an VII), le *Journal général de politique, de littérature et de commerce* en Rhénanie, *Le Régénérateur* à Lausanne. En Italie, Bonaparte a deux journaux : le *Courrier de l'Armée d'Italie* (thermidor an V-12 frimaire an VII) et *La France, vue de l'armée d'Italie* (thermidor an V-vendémiaire an VI) destinés aux soldats. Ce sont de remarquables moyens de propagande. Bonaparte crée des journaux partout où il conquiert *(Le Courrier de l'Egypte* (12 fructidor an VI-20 prairial an IX), *La Décade égyptienne).*

Les journaux de l'émigration. — *Le Spectateur du Nord* (janvier 1797-décembre 1802) de Villiers à Hambourg, journal de première importance, avec la collaboration de Delille, l'abbé de Pradt, Maistre, mais qui n'est pas le seul dans cette ville. Il y a aussi des périodiques français à Berlin, Brunswick, Ratisbonne.

En Angleterre et aux Etats-Unis. — En Angleterre : *Le Courrier de Londres,* puis *Courrier de Londres et de Paris* (26 juin-4 septembre 1802), le *Mercure britannique* de Mallet du Pan (10 octobre 1798-25 mars 1800). Aux Etats-Unis : *Le Courrier de l'Univers* (1792-1793, Boston), la *Gazette, française et américaine de New-York, Le Courrier français* (1794-1798, Philadelphie). Au total, « sous le Directoire, la presse de langue française connut hors de France une magnifique expansion » (J. Godechot).

Les pamphlets et les brochures. — On ne saurait séparer cette activité journalistique du développement, pendant cette période, des pamphlets. Il est d'ailleurs parfois assez arbitraire de distinguer le pamphlet du journal, surtout lorsqu'il s'agit d'un périodique de courte durée et qui est le fait d'un seul auteur. Un des intérêts d'ailleurs de l'étude de la presse révolutionnaire est de faire tomber des distinctions un peu simplistes : entre l'affiche, le journal, le pamphlet, la « lettre », les limites ne sont pas étanches. Le pamphlet est en général en prose, mais il peut être en vers (cf. *infra*). La polémique ne date certes pas de la Révolution. Mais elle prend alors une dimension nouvelle, du fait de l'importance de la vie politique et de l'efflorescence du journalisme.

Les sujets surabondent. Dans la tradition de l'Ancien Régime se multiplient les pamphlets contre la reine, contre Necker. Le pamphlet prend vite un intérêt plus général ; néanmoins derrière les idées, le pamphlet vise un homme, ou un groupe d'hommes. L'*Histoire des Brissotins* de Camille Desmoulins accuse Brissot d'être l'instrument du complot anglo-prussien. Le pamphlet est une lutte corps à corps de l'auteur avec son adversaire ; d'où sa virulence, son urgence, ses risques, ici mortels. Dans ce duel, qui ne tue pas est tué. Le véritable pamphlétaire est toujours un opposant au régime. Ici les régimes se succèdent à belle allure, d'où la ronde des pamphlets. Mais un pamphlet peut coûter la vie ; les adversaires de Robespierre le savaient bien.

Il serait un peu vain de vouloir établir une liste des pamphlétaires de la Révolution ; on retrouverait les noms que nous avons cités dans l'étude du journalisme ou de l'éloquence. Cependant tous ne sont pas également doués pour le pamphlet. Parmi les meilleurs, peut-être : Mirabeau, Brissot, Marat, Camille Desmoulins, Hébert, Rivarol, mais aussi Beaumarchais, Sade, Laclos, André Chénier. La valeur littéraire de beaucoup de ces pamphlets est incontestable, encore faut-il en décider en fonction du genre. On n'écrit pas un pamphlet pour l'éternité ; le pamphlet est en principe, destiné à une carrière courte. Il est écrit vite, dans l'urgence. Il est fait de passion, de haine, non de tranquille réflexion. La création verbale peut y être étonnante ; le style y garde la vivacité de la parole et de l'injure. Le titre doit pouvoir devenir un slogan.

Entre le pamphlet et la brochure politique, les différences sont souvent légères. La brochure aurait un caractère plus général et serait moins *ad hominem*. Mais les deux registres interfèrent forcément. De Sieyès à Benjamin Constant, le recensement de ces œuvres serait long. Comme les périodiques dont elles se distinguent par l'absence de périodicité, elles sont étroitement liées à l'urgence de l'événement. Parfois anonymes, elles n'en constituent pas moins un engagement dangereux pour leur auteur. Ensevelies dans la catégorie de l'éphémère ? Certes non. D'une masse évidemment difficile à maîtriser surnagent des textes qui valent par l'énergie de la pensée, par l'éclatante évidence du style. Pour ne citer que quelques exemples, choisis de façon forcément arbitraire : Sieyès, *Qu'est-ce que le Tiers Etat ?* (1789) ; Olympe de Gouges, *Action héroïque d'une française ou la France sauvée par les femmes* (1790) ; Paine, *Le sens commun* (1791) ; Mme de Staël, *Réflexions sur le procès de la reine par une femme* (1793) ; Charette de la Contrie, *Manifeste, proclamation, réponse* (1795). Au point de vue formel, il faudrait opérer des classements entre divers types d'écrits : lettre, manifeste, réflexions, chacun ayant son registre propre.

Conclusion. — Il est difficile de ne pas se perdre dans une telle surabondance. L'étude de la presse révolutionnaire permet de suivre les événements dans toute leur complexité et leur rapidité. C'est alors que les journaux deviennent pour la plupart quotidiens. Tout va vite, il faut réagir, provoquer les réactions au fur et à mesure. Le journalisme exclut ce recul, cette distanciation que l'on verra dans d'autres types d'écrits (essais, mémoires).

« Alors qu'en 1788 on imprimait dans tout le royaume une soixantaine de périodiques, plus de 500 virent le jour entre le 14 juillet 1789 et le 10 août 1792 », écrit J. Godechot. La variété des titres n'étant pas infinie, il n'est pas étonnant que, patriotisme oblige, on trouve des *Patriotes* de toutes les couleurs : outre *Le Patriote français* de Brissot, *Le Patriote républicain*, *Le Patriote royaliste*, etc. Nombreux sont les périodiques qui portent le titre de *Révolutions*, là aussi avec des variantes. Beaucoup d'*Amis* également : *L'Ami du Peuple* de Marat, *L'Ami du Roi* de l'abbé Royou. Inévitablement le même titre peut recouvrir plusieurs périodiques différents et éphémères.

La rédaction des journaux est assurée souvent par un seul homme, et on peut alors parler avec J. Godechot de « pamphlet périodique ». Tels sont, parmi les plus connus *L'Ami du Peuple* de Marat ; *Le Père Duchesne* d'Hébert, *Les Révolutions de France et de Brabant* de Camille Desmoulins. Parfois au contraire, la rédaction est le fait d'un groupe, ainsi *Les Actes des Apôtres*. Dans les journaux d'information, la répartition des tâches se fait entre plusieurs rédacteurs.

Mais ces informations, comment parviennent-elles au journal à une époque où le courrier est lent, où n'existe pas le téléphone, ou Chappe commence tout juste ses expériences de télégraphe ? Les rédacteurs assistent aux séances de l'Assemblée, recueillent les rumeurs publiques dans les cafés, reçoivent des nouvelles (lentes) des correspondants. Mais « une source importante d'informations est constituée par les autres journaux. Les journaux se pillent mutuellement, ce qui est une source inépuisable de procès » (J. Godechot).

On s'interrogera sur le problème de la diffusion de ces journaux. Il faut noter qu'ils sont relativement chers pour des bourses populaires et ne pas oublier non plus l'état d'analphabétisme d'une partie de la population. Cependant deux phénomènes interfèrent qui contribuent à une plus large audience. Le phénomène de la lecture publique à haute voix et celui de l'affichage. Entre le « périodique » proprement dit et l'affiche, la limite, à l'époque révolutionnaire, est parfois difficile à établir.

Un lecteur moderne peut s'étonner des faibles tirages de ces journaux. Ils s'expliquent par des problèmes techniques (la presse révolutionnaire n'a pas eu le temps d'innover dans ce domaine), mais surtout par la condition du lectorat qui fait que les tirages sont tous faibles. A cela s'ajoute un effet de saturation. Certains tirages ne dépassent pas 300 exemplaires. Les grands tirages arrivent à 12 000. Alors qu'avant 1789, la vente se faisait par abonnement, la vente au numéro et à la criée se répand sous la Révolution.

Chaque homme politique a son journal qui souvent ne fait que reproduire ses discours. Il serait donc artificiel de vouloir distinguer trop nettement les orateurs et les journalistes. Cependant un certain nombre d'écrivains qui ne sont pas des leaders révèlent de remarquables talents : André Chénier, Rivarol, Chamfort, Mallet du Pan, Loustalot. Camille Desmoulins est certainement la figure la plus intéressante de ce journalisme révolutionnaire.

La presse, plus directement liée à l'événement, plus directement tributaire de la liberté d'expression, peut être considérée comme le baromètre à la fois de la liberté et de la créativité de la Révolution — les deux phénomènes étant étroitement liés. Les graphiques publiés par J. Godechot, d'après André Martin et Gérard Walter, sont extrêmement révélateurs : prenons Paris (la province suit la même courbe, mais plus aplatie). C'est dans les années 1789-1790 que le nombre des journaux est le plus grand, avec une pointe sur l'année 1790. Chute en 1793, reprise l'an V qui équivaut à 1789, décroissance ensuite, avec le point le plus bas l'an VIII. Cela correspond très exactement à l'histoire de la liberté de la presse. Cela correspond aussi à la courbe de la créativité dans d'autres domaines. C'est entre 1789 et 1792 que la littérature s'est le mieux portée, prise dans un élan de libération.

CHAPITRE V

LE THÉÂTRE

Le théâtre fut à l'honneur pendant la Révolution. Les vertus pédagogiques du spectacle avaient de quoi intéresser le pouvoir. Ce faisant, il allait bien dans le sens de ce qu'avaient préconisé les Lumières : faire du théâtre un instrument de combat, un moyen de lutter contre les préjugés, d'enseigner la philosophie. Le théâtre est une fête et ce caractère festif de la représentation était fortement senti. C'est bien par rapport aux fêtes de la Révolution que David prévoit, quand il organise la fête de la Constitution du 10 août 1793 : « Il sera construit un vaste théâtre où seront représentés, par des pantomimes, les principaux événements de notre Révolution. » L'Opéra se fait, lui aussi, le lieu et l'instrument de la Révolution. En brumaire 1793, on célèbre la fête de la Raison à Notre-Dame et, dès le début de nivôse, l'Opéra donne *La Fête de la Raison*, œuvre de Grétry, sur un livret de Sylvain Maréchal. Le lien entre la Révolution et le théâtre est véritablement consubstantiel. Tout est théâtral — au meilleur et au pire sens du terme dans la Révolution française. Le grandiose et le grandiloquent s'y côtoient. Les mises en scène pathétiques ou burlesques se succèdent. Il faut *représenter*. On peut y voir diverses raisons. Une première et évidente, la Révolution veut s'adresser au peuple et le peuple a besoin d'images ; à mi-chemin entre les figures de la sculpture romane et le délire iconique de la télévision, la Révolution se sert du théâtre, et organise elle-même des événements en leur donnant une dimension théâtrale, pour pouvoir s'adresser aux masses. Peut-être aussi, l'effondrement de toutes les valeurs qui semblaient solides, la volonté de reconstruire à neuf, sont-ils la cause (mais la conséquence également) d'une crise de la représentation : au sens plus large du terme. Cette crise est liée à la remise en cause de l'univers religieux, non certes à la disparition de la religion, mais à la volonté d'en créer une autre. Tous les cultes entraînent des images (et l'on voit comment les religions qui les refusent ont eu à mener un dur combat). Une des difficultés des fêtes révolutionnaires, c'est de vouloir représenter des idées abstraites. La fête n'est pas la seule à connaître cette difficulté : la peinture, la poésie, l'opéra rencontrent le problème de l'allégorie. Disons cependant que le théâtre a cette possibilité de charger des êtres vivants, des acteurs, de représenter ces idées, et de leur donner ainsi un peu de chair et de sang.

La Constituante vota le 13 janvier 1791, dans l'esprit libertaire qui la caractérise, une loi établissant la liberté des théâtres. Il fallait abolir les privilèges des comédiens français et de l'Opéra, privilèges qui avaient déjà si souvent été contestés sous l'Ancien Régime, dans la longue histoire de la lutte entre comédiens français et comédiens italiens. Du coup, les salles de théâtre se multiplient. En dix ans, 45 salles nouvelles s'ouvrent et 1 500 pièces vont être représentées. Le foisonnement du théâtre à cette période est en partie la conséquence de cette liberté.

Liberté qui va se trouver d'ailleurs considérablement limitée par des impératifs idéologiques. Si l'on est libre d'ouvrir un théâtre, on ne l'est pas de représenter des pièces jugées réactionnaires. Au sein d'une même troupe, des partis opposés s'affrontent. Ainsi à la Comédie-Française. Dès 1791 les dissensions deviennent graves. Autour de Talma se groupent les comédiens révolutionnaires, les « Rouges », qui baptisent leur théâtre de la rue de Richelieu : Théâtre de la République. Mais les « Noirs » ne continuent pas moins à jouer leur répertoire considéré comme réactionnaire. Le 4 septembre 1793, les Noirs sont emprisonnés ; ils n'auraient été sauvés que grâce à un employé du Comité de Salut public, Labussière, qui fit mine de perdre les dossiers — ce qui n'allait pas sans courage. Après thermidor, la sérénité revient. Les « Noirs » et les « Rouges » se réunissent dans la salle de la rue de Richelieu appelée Théâtre français de la République.

Le statut du comédien a changé — et ce changement d'ailleurs avait été réclamé par les Philosophes et amorcé avant la Révolution. Le comédien n'est plus ce réprouvé de la société et de l'Eglise, il devient l'instituteur des peuples. La Révolution française a été une époque de grands acteurs. On n'aurait pas de peine à prouver que Mirabeau ou Danton étaient des tragédiens étonnants. Mais restons sur les planches. Talma domine sa génération. Né en 1763, il fit son apprentissage en Angleterre. A Paris il compléta sa formation, à l'école de Molé et de Dugazon. Il avait débuté avant la Révolution, dans *Mahomet* (1787). En 1789, il créa le *Charles IX* de Marie-Joseph Chénier. Ce fut un triomphe et l'occasion de graves dissensions avec les autres acteurs de la Comédie-française. D'où la scission que nous venons d'évoquer. Il incarna les personnages de Shakespeare dans les adaptations de Ducis *(Othello, Macbeth, Hamlet)*. Il a écrit des *Réflexions sur Lekain et l'art théâtral*. Chateaubriand a laissé de Talma un portrait inoubliable (il le dépeint tel qu'il était en 1802) dans les *Mémoires d'outre-tombe*.

Thèmes. — Les thèmes ne manquent pas, qui contribuent à cette vitalité du théâtre révolutionnaire. Notons cependant que le répertoire classique continue à être joué, mais en subissant une mise au goût du jour qui peut sembler contestable. Don Fernand dans *Le Cid* devient un général républicain, Célimène est « citoyenne », Phèdre arbore la cocarde tricolore. Fabre d'Eglantine entend répondre à Molière. Voltaire fut beaucoup joué sous la Révolution. Il devient l'inspirateur posthume et aussi le héros de pièces nouvelles. Ainsi le succès du thème de Calas : *Calas ou le Fanatisme*, pièce de Lemierre d'Argy (Palais-Royal, décembre 1790) et *Jean Calas* de Laya au Théâtre français (décembre 1790), auquel répond un *Jean Calas ou l'Ecole des Juges* de M.-J. Chénier, donné au Théâtre de la République (rue de Richelieu) en juillet 1791. Rousseau est un héros aussi bien des fêtes que du théâtre révolutionnaires. Ainsi le *Jean-Jacques Rousseau à ses derniers moments* de Romilly (Théâtre italien, décembre 1790). Les abus de l'Ancien Régime fournissent le thème de bien des œuvres. Pigault-Lebrun écrit *Charles et Caroline ou les Abus de l'Ancien Régime* (Théâtre du Palais-Royal, juin 1790). La critique de la vie religieuse est un thème fécond. Citons parmi bien d'autres : *Le Couvent* de Laujon, *Les Rigueurs du cloître* de Fiévée.

Nous avons signalé l'importance de l'Antiquité dans la morale, dans l'esthétique de la Révolution. On ne s'étonnera donc pas de voir se multiplier les sujets antiques : *Marius à Minturnes* d'Arnault (1791), *Agamemnon* de Lemercier (1797), *Epicarsis et Néron* de Legouvé (1794). Notons cependant que la vogue du gothique amène aussi des sujets inspirés par le Moyen Âge, ainsi une *Jeanne d'Arc* de Desforges (Théâtre italien, mai 1790). Cette vogue se confond souvent avec celle du « noir », du mystère, qui alimente aussi bien la tragédie que le mélodrame.

L'actualité fournit de nombreux thèmes (et d'ailleurs quand il y a reprise de thèmes anciens, c'est en leur donnant une signification neuve). La Révolution a ses héros.

Olympe de Gouges évoque *Mirabeau aux Champs-Elysées*. Des pièces célébreront Viala, Barra, et plus tard la gloire du jeune général Bonaparte.

Les diverses étapes de la Révolution sont retracées par le théâtre. Parfois il joue un rôle de modérateur. Ainsi Jacques de Reigny dans son *Nicodème dans la lune, ou la Révolution pacifique* (1790). Dans *Le Club des bonnes gens*, un curé constitutionnel entend ramener la paix au village. Le théâtre n'est pas uniformément anticlérical. Il défend les grandes causes. Dès 1789, Olympe de Gouges donne *L'Esclavage des Noirs*. On retiendra comme bien caractéristiques de cette évolution des mentalités et de l'Histoire qui vont vite alors : *Charles IX ou l'Ecole des Rois* de M.-J. Chénier (4 novembre 1789) qui appartient à la première étape de la Révolution. *Les Victimes cloîtrées* de Monvel (29 mars 1791) qui traduisent à la fois l'attendrissement pour les « victimes » mais aussi une montée d'anticléricalisme. *L'Ami des Lois* de Laya (2 janvier 1793) qui « est le dernier et inutile effort du parti modéré » (L. Morland). *Le Jugement dernier des Rois* de S. Maréchal (18 octobre 1793) qui présente l'exaltation des idéaux républicains. *L'Intérieur des Comités révolutionnaires ou les Aristides modernes* de Ducancel (27 avril 1795) qui traduit l'esprit de la réaction thermidorienne. *Madame Angot ou la poissarde parvenue*, par C. Maillot (1796), qui montre la transformation de la société à la fin de la période révolutionnaire.

La tragédie. — Le grand auteur tragique durant la Révolution est certainement Marie-Joseph Chénier (1764-1811). Son *Charles IX* eut un immense succès. Il y mettait en scène la Saint-Barthélemy, et Danton aurait dit : « Si *Figaro* a tué la noblesse, *Charles IX* tuera la royauté. » Sa carrière fut féconde même si toutes ses pièces ne connurent pas un succès aussi triomphal : *Henry VIII* (1791), *Calas* (1791), *Caius Gracchus* (1792), *Fénelon* (1793), *Timoléon* (1794), et *Tibère* qui ne fut pas représenté. D'autres auteurs tragiques doivent être évoqués : Arnault (1766-1834), qui possède un certain sens du pathétique dans son classicisme (*Marius à Minturnes*, 1791). Il s'inspire d'Ossian dans *Oscar*, donne en 1789 : *Blanche de Moncassin ou les Vénitiens* (1798). Népomucène Lemercier (1771-1840) demeure très respectueux des règles de l'esthétique classique et cependant on sent déjà chez lui des accents romantiques : *Le Lévite d'Ephraïm* (1795) ; *Agamemnon* (1797). Gabriel Legouvé (1764-1812) possède une certaine facilité : *La Mort d'Abel* (1793) ; *Epicharsis et Néron* (1794).

La comédie. — Elle n'est pas très brillante sous la Révolution. L'heure n'est pas au rire. Il semble d'autre part que la concurrence du drame ait peut-être été plus redoutable pour la comédie que pour la tragédie. Colin d'Harleville (1755-1806) ne nous fait plus guère rire : qui songerait à mettre en scène *Les Châteaux en Espagne* (1789) ou *Monsieur de Crac* (1791), même si l'on peut trouver un certain charme à ce « chantre de la vertu souriante » et à son *Vieux Célibataire* (1792). Fabre d'Eglantine (1750-1794) avait lui-même une formation d'acteur. Il connut un grand succès avec *Le Philinte de Molière ou la suite du Misanthrope* (1790). Citons encore : *l'Aristocrate, L'Intrigue épistolaire* (1791). Mais on ne se souvient plus guère que de sa chanson *(Il pleut, il pleut, bergère)* qui annonçait la Révolution dont il fut une victime. Louis-Benoît Picard (1769-1828) est un disciple de Beaumarchais, jusque dans le titre *Médiocre et Rampant* (1797), qui est emprunté au *Mariage de Figaro* et qui est sa meilleurs pièce. Citons encore : *Les Visionnaires* (1792), *Les Amis de collège* (an IV), *L'Entrée dans le monde* (1799). Népomucène Lermercier a aussi écrit des comédies : *Tartuffe révolutionnaire* (1795), qui fut interdit par le Directoire, *La Prude* (1797). Il créa encore la comédie historique avec *Pinto ou la journée d'une conspiration* (1800) qui, une fois opérée la fusion de la tragédie et de la comédie, aboutira au drame historique romantique.

On peut encore citer, dans la foule des comédies de cette époque : *Le Réveil d'Epiménide* (1790) de Flin des Oliviers, et *Le Sourd ou l'Auberge pleine* (1790) de Desforges.

Le drame. — A ses origines, il avait une tendance à prêcher ; « Bientôt, écrit F. Gaiffe, ce genre de pièces va prendre, les progrès de la Révolution aidant, un caractère de propagande agressive : un drame sera moins une œuvre littéraire qu'une manifestation politique. » Ce genre subit une sorte d'inflation : « En 1789, les drames figurent 64 fois sur l'affiche, 80 fois en 1790. » On joue toujours *Le Père de Famille* de Diderot, *Le Philosophe sans le savoir* de Sedaine, *Eugénie*, etc. « Si le drame a conquis de nouvelles positions dans les petits théâtres, il n'a pas perdu celles qu'il occupait sur les deux scènes privilégiées ; de même, la province qui avait devancé Paris en acclamant Arnaud et Mercier continue de se plaire aux émouvantes péripéties du tragique bourgeois. » Cependant la Révolution, si elle a d'abord favorisé cette expansion du drame, lui a finalement plutôt nui, en multipliant des œuvres médiocres, bâclées. Après thermidor, le drame ne retrouvera pas la même vogue qu'avant 1789. Dans les dernières années du XVIIIᵉ siècle cependant, quelques œuvres qui sont, sinon des chefs-d'œuvre, du moins des textes d'une bonne tenue littéraire : *La Mère coupable* de Beaumarchais (1792), *Falkland* de Laya (1799), *Misanthropie et repentir* de Julie Molé, d'après Kotzebue (1799).

On a coutume de regarder de haut *La Mère coupable*, et de lui préférer *Le Barbier* ou *Le Mariage de Figaro*. Mais comparer ce n'est pas comprendre. Il faut juger *La Mère coupable* en fonction d'une autre esthétique. Le prologue annonce : « Par le tableau de la vieillesse (d'Almaviva), et voyant *La Mère coupable*, venez vous convaincre avec nous que tout homme qui n'est pas né un épouvantable méchant finit toujours par être bon, quand l'âge des passions s'éloigne, et surtout quand il a goûté le bonheur si doux d'être père ! » Figaro est devenu un « vieux serviteur très-attaché », Suzanne, elle, est « revenue des illusions du jeune âge ». Le temps a passé sur les personnages, certes, mais sur tout le siècle. Ce n'est pas tant la moralité du drame qui nous attendrit, que cette blessure profonde du temps sur les êtres.

L'œuvre n'en est pas moins d'actualité par la dénonciation d'une nouvelle forme d'hypocrisie-dénonciation dont la vigueur ne manquera pas de séduire un Péguy qui écrit, à propos de *L'Autre Tartuffe ou la Mère coupable*, c'est « une grande idée que d'avoir pensé dès 1792, et avant (au moins le temps de faire la pièce), qu'il venait de naître dans le monde une deuxième tartufferie, qui serait proprement dite celle de "l'humanité" » *(Clio)*.

Nous avons cité tout à l'heure une adaptation de Kotzebue, il faut noter en effet que les influences de l'étranger sont importantes, et que le drame, plus libre dans ses formes, est le réceptacle idéal de ses influences. *Le Paysan magistrat* de Collot d'Herbois est redevable à Calderon. Le mélodrame aussi est très marqué par l'influence allemande. *Robert chef des brigands* de Lamartellière (1793) est une adaptation de Schiller.

Avant de poursuivre ce chapitre, nous voudrions attirer l'attention sur deux dramaturges originaux : Rétif de La Bretonne et S. Mercier. Le premier a pratiqué une étrange mise en scène de son autobiographie dans *Le Drame de la Vie*, version théâtrale de *Monsieur Nicolas*, en cinq volumes, et où l'on trouve dix « pièces régulières », des actes d'ombres chinoises, un acte de marionnettes. (L'ensemble a été entrepris à la fin de l'année 1789.)

Sébastien Mercier, dont nous avons eu à plusieurs reprises l'occasion d'évoquer la fécondité, pratique le théâtre sur des registres divers : *Le Libérateur* (1791), *Le Vieillard et ses trois filles* (1792), *Timon d'Athènes* (an III), *Le Conseil des Cinq cents* (an IV), *Hortense et d'Artamon* (1797).

Le mélodrame. — Du drame est sorti le mélodrame, dont le succès fut immense. Jean-Jacques Rousseau se considérait comme le créateur de ce genre avec son *Pygmalion* (1775) et il le définissait ainsi dans les *Fragments d'observations sur l'Alceste italien du chevalier Gluck* : « Un genre de drame dans lequel les paroles et la musique, au lieu de marcher ensemble, se font entendre successivement, et où la phrase parlée est en quelque sorte annoncée et préparée par la phrase musicale. » Mais au cours de ces dernières années du siècle, le sens du mot « mélodrame » a évolué, la part de la musique a diminué, au profit du spectacle, le dialogue s'est développé. Le pathétique bourgeois du drame s'est infiltré dans le mélodrame jusqu'à l'envahir complètement. Un des aspects les plus intéressants du mélodrame est son caractère très populaire. Pixérécourt dira : « J'écris pour ceux qui ne savent pas lire. »

Le mélodrame est souvent une adaptation d'un roman : il y a, en effet, une évidente parenté entre le romanesque et le mélodramatique. Ducray-Duminil fournira par exemple à Pixérécourt le thème de *Coelina ou l'enfant du mystère* (1800). Le mélodrame comme le roman cultive le noir, le mystère, le « gothique ». Une telle atmosphère se prête à ses décors qu'aime le public, décors fantastiques avec ruines, forêts : Hubert Robert sur la scène. Et l'on voit apparaître dans le mélodrame un souci de la couleur locale, lui aussi annonciateur du romantisme.

Si l'œuvre de Pixérécourt déborde largement sur le XIXe siècle, elle prend son essor pendant notre époque. Né en 1773, Pixérécourt dut d'abord suivre son père dans l'émigration et combattre dans l'armée de Condé. Mais il déserta, revint en Lorraine puis à Paris où il connut d'abord la misère, jusqu'au moment où ses pièces eurent un prodigieux succès. En 1797, il donne *La Petite Auvergnate*, puis *La Forêt de Sicile*, et surtout en 1798 *Victor ou l'enfant de la forêt* qui fit sa célébrité. Sa production est alors énorme. En 1799, *Le Château des Apennins*, en attendant *Coelina*.

Si Pixérécourt domine dans ce genre, si certains considèrent comme le premier vrai mélodrame *Coelina ou l'enfant du mystère* (1800), ses œuvres antérieures ne méritent pas d'être ravalées au rang de simples préliminaires. Et il faut citer aussi d'autres auteurs de cette période : Loaisel de Tréogate a donné *La Forêt périlleuse* (1797) et *Roland de Monglave* (1799), Cuvelier, *Le Diable ou la Bohémienne* (1797).

On a vu, non sans raison, dans le mélodrame une « esthétique de l'étonnement » : il faut émerveiller, terrifier un public sensible aux émotions, à la fois par le pathétique des situations, par le déploiement de décor à grand spectacle. Et ce n'est certes pas le moindre titre de gloire de cette période révolutionnaire d'avoir permis l'éclosion d'un nouveau genre littéraire, et d'un genre qui eut tant de diffusion dans les classes populaires, en France, mais aussi en Europe. Certes, on peut dire que le mélodrame était déjà en gestation avant la Révolution — et sur ce point encore les années qui précèdent 1789 sont déjà lourdes de beaucoup des innovations de l'après 1789. Le lien de Nivelle de la Chaussée et sa comédie larmoyante, de Mercier et ses drames à Pixérécourt et ses mélodrames est évident. Il a fallu cependant, pour que le genre prenne vraiment son essor, un concours de circonstances : la présence du peuple, non seulement comme public, mais comme agent de l'action ; un goût du pathétique sur la scène qui ne répondait que trop à l'horreur de certains moments de la Révolution. Ce débordement de la sensibilité révolutionnaire n'est évidemment pas limité au mélodrame ; on le retrouve aussi dans les discours des chefs qui se sont montrés cependant les plus sanguinaires. On le retrouve partout : dans les fêtes, dans les romans. Il nous étonne parfois. Il nous gêne parce qu'il est en contradiction avec la cruauté de la Terreur, et parce qu'il nous semble aussi ne pas être de l'ordre de l'esthétique. Mais l'excès même fait partie intégrante de la Révolution, la modération se contente de réformes. La cruauté, la violence des mouvements de la foule ne sont que le revers de cette même sensibilité dont les écluses ont été levées. On ne peut dissocier esthétique et politique à cette époque.

Ce qui ne veut certes pas dire que le mélodrame se fasse le chantre de la Révolution. C'est au contraire au moment de la réaction thermidorienne et sous le Directoire qu'il s'affirme, comme s'il fallait au peuple désormais cet autre exutoire, comme si les dirigeants n'avaient qu'à se réjouir que le théâtre ici remplisse sa fonction cathartique. Charles Nodier pense que le mélodrame a véritablement eu une fonction religieuse : « A cette époque difficile, où le peuple ne pouvait recommencer son éducation religieuse et sociale qu'au théâtre (...) il fallait rappeler (...) que même ici-bas, la vertu n'est jamais sans récompense, le crime n'est jamais sans châtiment (...). Ce n'était pas peu de chose que le mélodrame : c'était la moralité de la Révolution. »

Le fait historique. — Une autre innovation de cette période, c'est le *fait historique*, directement issu du drame historique, mais qui est bref, en général un acte, et qui souvent met en scène des événements quasi contemporains. Le jugement de La Harpe, pour sévère qu'il soit, précise les données de ce genre qui d'ailleurs avait éclos avant la Révolution mais à qui celle-ci donna une grande expansion : « des espèces de pantomimes de certaines actions », « fort belles dans l'histoire, comme le dévouement de d'Assas et celui de Desille dans l'affaire de Nancy », « en un acte » ; « ces sortes de canevas sont des monstres sans nom. Mais l'appareil militaire, les bonnets de grenadier, les baïonnettes, les mots de liberté et patriotisme font tout passer pour le moment ». Nous sommes alors en 1790 ; les événements contemporains côtoient, dans les faits historiques, des événements passés. C'est ainsi que Henri IV, roi fort populaire dans les débuts de la Révolution, est souvent le héros de ces anecdotes : *Henri IV à Paris*, *La Nuit de Henri IV*, *Le Berceau de Henri IV*.

Ce théâtre n'est peut-être pas si méprisable que l'ont dit les critiques : il s'apparente à la nouvelle journalistique, au communiqué de presse, ou — à notre époque — au journal télévisé. Il s'apparente aussi à l'image d'Epinal : même caractère populaire, même rapidité du croquis pris sur le vif, même attendrissement un peu naïf. Comprendre le théâtre de la Révolution française, comme en général ses productions littéraires, c'est refuser une idée étroite de l'œuvre d'art, c'est être prêt à comprendre toutes les formes d'expression, les surgissements les plus frustes, les moins élaborés. C'est peut-être justement là qu'il se passe vraiment du neuf, beaucoup plus que dans les formes traditionnelles toujours menacées de sclérose.

Livrets d'opéra. — De même que l'on ne saurait dissocier l'étude de la poésie révolutionnaire de celle de la chanson, de même il faut englober dans une étude du théâtre l'évolution rapide des livrets d'opéra et d'opéra-comique. On retrouve à l'opéra, comme au théâtre, deux grandes sources d'inspiration : l'Antiquité et les événements de la Révolution. Deux séries de thèmes entre lesquels s'établit tout un système de réfraction, puisque la Révolution elle-même ne cesse d'avoir le modèle antique présent à l'esprit. On célèbre la mort des jeunes héros : Viala et Bara, les grands événements militaires : siège de Thionville, bataille du Pont de Lodi. Mais aussi *Miltiade à Marathon* (1793), *Toute la Grèce ou ce que peut la liberté* (1794), *Horatius Coclès* (1794).

J. Mongrédien note que « toutes ces pièces vinrent s'ajouter (au répertoire traditionnel), mais ne le concurrencèrent pas ». L'ancien répertoire subsistait, avec des censures : ainsi, bien entendu, le vers « O Richard, ô mon roi » fut supprimé. La Révolution apporta de nouveaux thèmes à l'opéra mais ne créa pas dans ce domaine un art nouveau. Finalement c'est le livret essentiellement qui entend apporter un message politique, la musique, elle, demeure traditionnelle. On peut penser que celle des grands chœurs des fêtes était plus neuve, dans la mesure où le plein air permettait de nouveaux effets, impossibles dans les salles de spectacle qui n'avaient pas changé de structure, même si l'Opéra dut déménager à plusieurs reprises (salle de la Porte Saint-Martin, puis rue de la Loi, c'est-à-dire rue de Richelieu, sous la Terreur).

Pour l'opéra-comique, les salles Feydeau et Favart se font concurrence, reprenant souvent les mêmes sujets. Cependant les deux théâtres s'opposaient aussi par leurs options politiques. La salle Favart était républicaine et patriotique, tandis que Feydeau gardait des sympathies royalistes. Toutes deux pratiquaient par définition un genre où doivent se mêler chant et textes parlés. La salle Favart préférait les sujets plus comiques, la salle Feydeau les drames. Le nombre des créations est beaucoup plus grand à la salle Favart qu'à l'Opéra. Parmi les succès de la salle Favart : *Le Prisonnier* (1798), *Zoraïme et Zulmane*, de Boieldieu. Au théâtre Feydeau : *Les Visitandines* en 1792. Ce qui semble le plus intéressant, au point de vue formel, à cette époque, c'est comment la distinction des genres est en train de s'abolir. La *Stratonice* de Méhul (1792), comme *Lodoïska* de Cherubini (1791) sont des « comédies héroïques », *La Caverne* de Le Sueur (1793) est un drame héroïque. *Paul et Virginie* de Le Sueur (1794) est un « drame lyrique ». « Il semble, écrit J. Mongrédien, qu'après 1789 certains compositeurs écrivent ce qu'ils veulent, sans trop se soucier de tenir compte des classifications traditionnelles. » Finalement, ce genre très marginal qu'est le livret d'opéra bénéficie d'une liberté qui permet les innovations ; en un certain sens, il annonce les transformations du théâtre romantique.

Un théâtre multiforme. — Au total, le bilan du théâtre de la Révolution française n'est pas mince, et M. Carlson, analysant une période légèrement plus vaste

que la nôtre, conclut : « De ces vingt années (1787-1807)
de douloureux enfantements étaient nés des théâtres
nationaux bien vivants et mieux organisés, une scène
de boulevard bien adaptée à l'époque et plusieurs nouveaux genres de spectacle dont l'importance n'apparut
guère à l'époque, ainsi que des innovations capitales
dans la production théâtrale, les costumes et l'architecture des salles. » Si l'on examine les textes eux-mêmes,
on doit aussi convenir de leur intérêt.

Théâtre multiforme donc, parce que les lieux de représentations se sont multipliés, parce que les genres, eux
aussi, échappent de plus en plus au carcan des distinctions entre tragédie, comédie, drame, opéra, opéra-
comique, parce que les œuvres foisonnent, devant la
surabondance de thèmes que leur apporte l'événement,
et qui n'exclut pas le recours aux thèmes plus traditionnels : rien n'est interdit, sinon d'afficher des opinions
anti-républicaines. Encore faudrait-il apporter bien des
nuances suivant les périodes de la Révolution, suivant
les régions. A ce propos, on ne dira jamais trop combien
la province est active. Cette centralisation du théâtre
qu'on a si souvent déplorée en France, elle n'a pas été
aussi continue qu'on l'a dit, et il serait bon de multiplier
les études ponctuelles sur la vie théâtrale en France
sous la Révolution : on trouverait des résultats étonnants. Le public aussi a changé ; il s'est diversifié, il est
plus populaire, plus actif encore que sous l'Ancien
Régime pour faire triompher ou pour démolir une pièce.

Mais ce qui fascine le plus dans cette époque, c'est
certainement la remise en cause de la séparation entre
la vie et la scène. Les héros de la Révolution sont sur
la scène immédiatement. Molé, par exemple, joua le
personnage de Marat. Le public, qui assiste aux réunions
des clubs ou des assemblées, se transporte ensuite au
théâtre et y fait la loi. Des auteurs dramatiques furent
des éléments actifs de la Révolution : ainsi Fabre
d'Eglantine et Collot d'Herbois. La tyrannie est dénon-

cée aussi bien en matière politique que dans les tradi-
tions de la scène et *Le Jugement dernier des rois* de
Sylvain Maréchal (1793) entend ridiculiser tous les préjugés. Les rois, déportés sur une île (qui rappelle, de
loin, les îles du théâtre de Marivaux), sont devenus des
sortes d'acteurs tragiques jouant un théâtre suranné. La
pièce de Peter Brook, *Marat-Sade*, montrera au XXe siècle, de façon symbolique, deux grands metteurs en scène
qui s'affrontent : Marat organise ce terrible spectacle
de la Révolution, tandis que Sade, lui aussi, fait jouer
ces pantins que sont les fous de Charenton. Cependant
ce n'est qu'après la Révolution, lorsqu'il retrouvera la prison sous le Concordat, que Sade entreprendra ces étranges
mises en scène de Charenton. La Révolution l'avait
libéré, il avait en 1791 donné un drame moral, *Oxtiern
ou les malheurs du libertinage* (la Révolution moralisait
tout, même Sade !). Sade aura été pendant la Révolution
à la fois homme de théâtre et homme politique. Le drame
se noue, partout à la fois, et c'est peut-être là ce qui
nous étonne, ce qui nous trouble dans l'abondance de la
production de cette époque, que — quelle que soit la
valeur du texte — il se détache sur un contexte qui fait
éclat, soit parce que totalement discordant (le 16 octobre 1793, tandis que l'on exécute Marie-Antoinette, on
joue à l'Opéra-comique *Le Tableau parlant* de Grétry,
d'une « gaieté sans mélange »), soit au contraire qu'il
se fasse l'écho, le haut-parleur de l'événement politique
ou de la victoire des armées. Le problème du théâtre
révolutionnaire, ce n'est pas exactement celui de sa
qualité esthétique, dont on peut toujours discuter, c'est
de poser la question de la place même de l'esthétique,
de l'art et de la vie (ou la mort) avec une urgence
qu'évitent les périodes de tranquillité.

Chapitre VI

LA POÉSIE

Nous avons de la peine à goûter la poésie du XVIIIᵉ siècle, parce qu'elle est essentiellement rhétorique, faite d'allégories, de descriptions, de périphrases. Elle nous semble privée de signification ; lorsqu'elle se fait didactique, elle nous ennuie encore davantage. Avec la Révolution, la tradition poétique se poursuit. Le vocabulaire, les formes, demeurent les mêmes. Marie-Joseph Chénier, pour chanter la République, n'a pas à sa disposition un autre langage que ses prédécesseurs pour chanter la Royauté. Notre malaise à l'endroit de la poésie de l'Ancien Régime s'accroît encore. Il ne suffit pas qu'une poésie soit engagée pour qu'elle soit une grande poésie, et puis cet engagement peut, lorsque la guillotine menace, apparaître suspect ; la poésie dirigée nous répugne. Il nous semble surtout — ce qui n'était pas le point de vue des hommes de cette époque — que la poésie n'a d'intérêt que si elle est foudroyante, géniale. Et il n'y a guère qu'un poète qui puisse répondre à cette exigence : André Chénier. Nous n'entendons pas limiter la littérature que nous étudions ici, aux seuls partisans de la Révolution, et par conséquent il est légitime de lui faire la place qu'il mérite, c'est-à-dire la première. Ce qui serait moins légitime ce serait, à cause de sa fin tragique, de le présenter uniquement comme une victime ; il a d'abord été un chantre enthousiaste de la première Révolution.

La diffusion. — Pour la poésie, comme pour le théâtre, et nous l'allons voir pour le roman, la période révolutionnaire se caractérise par une grande activité, et par un élargissement de la diffusion. Le public auquel s'adresse la poésie de la Révolution n'est pas exactement celui auquel s'adressait la poésie de l'Ancien Régime. On peut même soutenir qu'avec l'éloquence elle possède, par rapport aux autres genres littéraires, ce privilège de pouvoir s'adresser même aux illettrés. Grâce à la musique, la chanson et l'hymne atteignent des couches de la population qui restaient étrangères à des ouvrages savants, ou même au roman.

La poésie est liée aussi à l'essor du journalisme, non seulement parce que des journaux publient des poèmes, mais parce que des poèmes, publiés séparément, se réclament de tel ou tel périodique. Ainsi ce *Voyage au Temple du despotisme ou Epîtres de saint Paul* pour servir de supplément aux *Actes des Apôtres*. Il y a aussi des feuilles, en général de brève durée, tel ce *Journal en vaudevilles des débats et des décrets de l'Assemblée nationale*. La poésie tire profit, non seulement de la prolifération des théâtres, mais aussi de l'activité des sections révolutionnaires. Ainsi *L'Inutilité des prêtres* de Piis (qui est d'ailleurs plus inspiré lorsqu'il écrit une poésie purement alchimique où l'on peut percevoir des accents prénervaliens), est un « vaudeville républicain » chanté en 1793 par la section des Tuileries. Au total, ce qui change dans le domaine poétique, sous la Révolution, ce n'est pas la facture même du poème, mais davantage ses modes de diffusion et ses thèmes.

Thèmes anciens et nouveaux. — On aurait tort cependant de s'imaginer que la muse est totalement mobilisée par la Révolution. On continue à écrire, comme si rien n'était, des poésies galantes ou érotiques ; des poèmes qui avaient été écrits auparavant paraissent alors ; il y a aussi beaucoup de rééditions d'œuvres antérieures. Saint-Just n'est pas encore un leader de la Révolution, lorsqu'il publie en 1789 (prétendument « au Vatican ») son long poème *Organt*, que l'édition de 1792 annonce comme « poème lubrique ». Nougaret en 1790 publie *Le Poète en goguettes ou choix de contes en vers dérobés à leur auteur* (A l'Isle d'Amour, 1790). La suppression de la censure permet un foisonnement d'œuvres érotiques, souvent médiocres d'ailleurs.

Certains poètes de l'Ancien Régime vont survivre à la tourmente, tel Delille (1758-1813), qui publiera en 1798 le beau poème *La Pitié*, en 1800 *L'Homme des Champs*. Il avait certes dû faire quelques concessions et écrire pour la fête de l'Etre suprême un *Dithyrambe*, qu'il serait injuste de lui reprocher quand on compare son attitude digne à l'opportunisme d'un Lebrun, d'un Dorat-Cubières ou d'un Désorgues. E. Guitton y voit à juste titre une protestation tacite sous une apparente concession à la nécessité politique. Léonard meurt en 1793 et Roucher en 1794 qui, après avoir donné un *Hymne funèbre* pour la fête de la Fédération (1792), écrit ses *Consolations de ma captivité* qui paraîtront à titre posthume, après thermidor (en 1797). On retiendra aussi l'*Ode au vaisseau « Le Vengeur »* (1794) de Lebrun-Pindare (1729-1807). Florian, qui avait été emprisonné sous la Terreur est libéré en 1794, mais ne survit guère à sa libération. En 1792, il avait publié ses *Fables*, au charme un peu suranné, mais dont certaines demeurent des réussites.

Les « grands » genres continuent à attirer les poètes qui parfois ne doutent pas assez de leurs forces. *La Navigation* d'Esménard (1769-1811) ne sera publiée en entier qu'en 1805, mais elle paraît, pendant notre période, en fragments dans le *Mercure. La Guerre des dieux* (1799) de Parny (1753-1814) entend continuer le grand lyrisme antique, au service d'une muse anticatholique. Les « petits » genres sont moins redoutables. Les *Fables* d'Arnault (1766-1834) sont des épigrammes caustiques ; Vigée (1768-1820), Dorat-Cubières (1752-1820), le chevalier de Boufflers (1737-1815), Philippe et Joseph de Ségur pratiquent la poésie galante. L'élégie est plus touchante, marquée déjà par le Romantisme : celles de Mme Verdier *(Souvenirs, Sépulture, Mélancolie)* ou de Fontanes (1757-1821) (qui écrit aussi des œuvres favorables à la Révolution : *Le Poème séculaire sur la Fédération de 1790*), avant de devoir s'exiler, et de rentrer en France en 1796.

Malgré des aspects surannés, cette poésie est déjà traversée d'ardeurs et de mélancolies romantiques. L'influence d'Ossian (cf. *supra*) inspire Arnault ou Michaut *(Le Matin d'un proscrit)*, Parny *(Isnel et Asléga*, 1802*)*, Campenon *(Les Elysées)* ; Baour-Lormian donne en 1801 une traduction qui est plutôt une adaptation. Notons le genre troubadour, souvent pratiqué avec prédilection par les émigrés, dont la nostalgie réactive ce genre déjà né avant la Révolution. Cependant le genre n'est pas uniquement lié à l'émigration ; on trouve des poésies troubadours dans l'*Almanach des Muses* de 1793 ou dans la *Décade philosophique* sous le Directoire.

Tous les événements de la Révolution vont être chantés à l'envi par les poètes, soit que le pouvoir leur ait commandé un hymne pour une fête, soit que, « spontanément », ils se mettent à évoquer les faits marquants. On n'en finirait pas, et ce serait fastidieux, d'énumérer les œuvres qui, au jour le jour, vont évoquer les grands temps de la Révolution. Dès les Etats généraux, une floraison, si l'on peut dire :

Pagès de Vixouse, *La Révolution ou les ordres réunis* ; L'Etang, *Ode à la Monarchie sur l'Assemblée des Etats généraux* ; Dom Grappin, *Ode aux Etats généraux* ; Baudoin, *Ode à la France sur les Etats généraux* ; Ginguené, *Ode sur les Etats généraux.*

Les sujets d'inspiration se succèdent : La Martellière écrit une *Ode à la Nation française assemblée au Champ-de-Mars le jour de la Confédération* ; Marie-Joseph Chénier, un *Hymne pour la fête de la Fédération.* On pourrait continuer cette ennuyeuse énumération, on citerait l'*Ode patriotique sur les événements de 1792* d'Ecouchard-Lebrun. *La Déclaration des Droits de l'Homme* inspire, s'il se peut, J. Michaud en 1792. Est-ce le thème ou le poète qui est mauvais ? On peut rattacher à ce type de poésie inspirée par l'événement, *Le Jeu de Paume* et une partie de la poésie d'André Chénier, et quelle différence d'intensité !

La poésie a besoin de héros : beaucoup de poèmes vont donc être consacrés à des figures de la Révolution. Marat a été particulièrement chanté. Cubierez-Palmézaux a commis à la fois un *Poème à la louange de Marat*, et *Les deux martyrs de la liberté, ou portraits de Marat et de Peletier.* On retrouve le même phénomène que nous avons signalé à propos du théâtre et des « faits historiques ». On peut préférer cette poésie « événementielle », si l'on nous permet cette expression, à une poésie plus ambitieuse et qui entend traiter de grands thèmes : Liberté, Droits de l'homme, Etre suprême. Lebrun, qui ne craint pas de se mesurer à Pindare, publie en 1793 une *Ode républicaine sur l'Etre suprême*, composée en brumaire an II. Le culte instauré par Robespierre va amener une multiplication de ces redoutables poèmes à l'Etre suprême.

La poésie est plus stimulée par la satire. La Révolution permit un renouveau du pamphlet en vers. En 1789, puis en 1791, Rivarol dénonce les *Crimes de Paris*, François de Neufchâteau publie des *Fables nouvelles pour orner la mémoire des petits sans-culottes.* Mais tout cela paraît faible auprès du grand élan de colère qui anime les *Iambes* d'André Chénier. La poésie contre-révolutionnaire est mal connue, et l'on n'a pas fini d'explorer la Vendée.

Les hymnes et les chansons. — Ce qui est le plus intéressant, c'est l'alliance de la musique et de la poésie, féconde en cette période et qui nous ramène à la naissance même de la poésie. Cette alliance, elle se situe à tous les niveaux, aussi bien dans les grands hymnes des fêtes révolutionnaires, que dans les chansons plus quotidiennes, plus populaires. M.-J. Chénier et Méhul composent *Le Chant du départ* (1794), et Rouget de l'Isle le fameux *Chant des Marseillais* ou *Marseillaise* (1792). Ce sont là les véritables chefs-d'œuvre de la poésie révolutionnaire.

Les compositions de M.-J. Chénier « sont faites pour être non seulement mises en musique, mais mises en scène », écrit fort justement L. Guichard, et c'est probablement parce qu'il nous est bien rarement donné d'assister à des reconstitutions de ces mises en scène, que nous n'apprécions guère cette poésie. La production de M.-J. Chénier est abondante : hymne pour la fête de la Fédération (14 juillet 1790), *Chant du départ*, au moment de la mobilisation générale ; prise de Toulon, diverses victoires de la Révolution, hymne pour les victimes du 10 août (avec musique de Gossec), célébration en l'honneur de Le Peletier de Saint-Fargeau (24 janvier 1793) ; *Hymne à la liberté* (musique encore de Gossec), le 10 novembre 1793 à Notre-Dame où est célébrée la fête de la Raison, cérémonie funèbre pour la mort du maréchal Hoche (1797). Il y a certainement chez lui un sens dramatique qui s'exprime encore davantage dans ses hymnes que dans ses pièces de théâtre. Il possède l'art d'utiliser les chœurs, et les alternances du solo et du groupe.

Cependant M.-J. Chénier n'est pas le seul à avoir écrit des hymnes pour les cérémonies révolutionnaires, citons encore : Désorgues, Coupigny et surtout Lebrun et Ducis. Parny a composé les paroles de la fête de la Jeunesse :

> « Et que ces palmes fortunées
> Croissant ainsi que les années
> Jusqu'à vos derniers jours conservent leur fraîcheur. »

Ducis composa des paroles pour une *Fête des Epoux*. Le côté spectaculaire de son œuvre l'amène à envisager d'en faire une représentation à l'Opéra.

Un fait divers peut devenir le point de départ d'une de ces œuvres. Ainsi la *Scène sur l'explosion du magasin à poudre de la plaine de Grenelle* (16 septembre 1794). Le poète était Etienne Bary ; la musique était de Gaveaux (puîné).

Les chants ont stimulé l'ardeur patriotique, mais aussi l'ardeur contre-révolutionnaire. Les chansons à la gloire du jeune Bara, les variations antivendéennes sur l'air de la Carmagnole répondent aux airs vendéens. Elles sont bien intéressantes, ces chansons vendéennes, parfois très simples, authentiquement populaires, parfois plus élaborées, ainsi celles qu'on attribue à Charette. La chanson se fait piège, lorsque l'on chantait des paroles vendéennes sur la musique de la *Marseillaise*, ainsi à la bataille du Pont-Charron (près de Chantonnay) le 17 mars 1793.

André Chénier (1762-1794). — La brève carrière poétique de Chénier appartient presque tout entière à la période révolutionnaire, quoique des élégies et des bucoliques, que l'*Invention*, l'*Hermès* (et l'*Hymne à la Justice*), aient été déjà écrits par cet écrivain précoce avant 1789. Il est à Londres lorsque éclate la Révolution, comme secrétaire de l'ambassadeur M. de La Luzerne. Il se précipite en France dès son congé de la mi-juin ; ainsi il assiste aux premières journées révolutionnaires. Il est lié avec Danton, Fabre d'Eglantine, Collot d'Herbois, Camille Desmoulins. Il retourne à son poste en novembre, et demande au début de 1791 un congé définitif pour pouvoir être en France. En ces années 1789-1792 Chénier est un héraut de la première Révolution. C'est ce qu'avait bien senti Jean Fabre. S'il tient les *Mémoires* de la « Société de 1789 », c'est parce que cette société n'est « ni une secte ni un parti, mais une compagnie d'agents du commerce des vérités sociales ». Il déteste l'Ancien Régime et rêve d'instaurer un ordre nouveau. Il a une activité de journaliste, encouragé par Suard, et écrit dans le *Mercure* et le

Journal de Paris. Bientôt cependant la Révolution le déçoit et l'inquiète. Il dénonce avec virulence Collot d'Herbois, « ce bouffon qui n'a fait que changer de tréteaux », Robespierre, « ce parleur connu par sa force démente ». Le *Journal de Paris* est interdit le 13 août 1792. Chénier doit quitter Paris. Il prend courageusement parti lors du procès du roi. Après l'exécution de Louis XVI, il se cache à Louveciennes, auprès de Mme Pourrat, et aime « Fanny ». Il écrit en l'honneur de Charlotte Corday une ode enthousiaste. Ses *Iambes* expriment tout son mépris pour les révolutionnaires sanguinaires. Il est arrêté un jour qu'il rendait visite à Auteuil à Mme Piscatory, qui recevait beaucoup d'aristocrates. Il est emprisonné à Saint-Lazare, jugé, condamné à mort et exécuté le 25 juillet 1794. Son *Ode à une jeune captive*, Aimée de Coigny, son dernier amour, paraît six mois après sa mort. La première édition de ses œuvres, si l'on excepte des textes donnés par M.-J. Chénier au *Mercure (La Jeune Tarentine)* date de 1819, mais les poésies de Chénier circulaient ; Chateaubriand les avait lues et célèbre le poète dans *Le Génie du Christianisme*. Au total n'avaient paru essentiellement du vivant d'André que l'ode *Le Jeu de Paume*, dédiée au peintre David, et l'*Hymne aux Suisses de Châteauvieux* (*Journal de Paris* en 1792).

Les écrits de Chénier sont suffisamment nombreux et divers pour ne pas se laisser ramener à des images simplistes. S'il nous apparaît avant tout comme poète, comme le seul véritablement grand poète de sa génération, pour ses contemporains, il était surtout un journaliste et particulièrement virulent. Cet aspect de Chénier, que nous connaissons moins de nos jours, est cependant important. La virulence de la prose et celle des *Iambes* est de la même nature, même si elle recourt à des modes d'expression différents. Parmi les œuvres en prose les plus marquantes, notons : *Avis au peuple français sur ses véritables ennemis* (*Mémoires de la So-*

ciété de 1789, 28 août 1790), *Réflexions sur l'avis de parti* (avril 1791), et du 12 novembre 1791 au 27 juillet 1792 des articles dans le *Journal de Paris* : « De la cause des désordres qui troublent la France » (février 1792), « De l'aveuglement de l'Assemblée nationale » (juillet 1792).

La poésie que lui inspire l'actualité révolutionnaire (Ode *Le Jeu de Paume*, *Ode à Charlotte Corday*, *Aux Suisses de Châteauvieux*), bien loin d'être datée et circonscrite par ces événements, a pris au contraire, grâce à eux, un impact, une violence, une modernité, qu'elle n'aurait pas eus sans cette urgence de l'engagement. C'est à la grande veine satirique de d'Aubigné, du Ronsard des *Discours*, mais aussi du Hugo des *Châtiments* qu'on doit rattacher la poésie des *Iambes*. Les personnifications (La Justice, La Vérité), les souvenirs de l'Antiquité, les périphrases, les images qui *a priori* sembleraient le plus sclérosées (« vider mon carquois ») prennent grâce à l'élan de la fureur et au génie une force étonnante. La voix du poète continue à s'élever, vengeresse, contre les bourreaux révolutionnaires traités de « vampires ».

La célèbre *Jeune captive* est peut-être plus tributaire de la tradition élégiaque ; mais l'exercice poétique prend dans ce contexte de la prison un accent tragique : ce qui eût été poncif devient un cri bouleversant. Harmonie de cette poésie ? Certes, mais ce qui frappe peut-être davantage, et ce qui fait sens, véritablement, c'est plutôt le contraste, le heurt de deux langages. L'un qui reste dans la tradition antique de la noblesse, de la dignité et de la périphrase ; l'autre direct, brutal : « Noirs ivrognes de sang, lâches bourreaux des femmes », les mots les plus réalistes soudain émergent, comme si le langage trop longtemps comprimé, confronté à la réalité des faits, reprenait ses droits à désigner les choses et les hommes par leurs noms, fussent-ils grossiers.

Plutôt que de développer le thème que les romantiques exploiteront, du poète assassiné, mieux vaudrait, à propos de Chénier, poser un certain nombre de questions directement liées à notre sujet : d'abord celle de la pensée politique de Chénier. Parce qu'il est vite devenu une image mythique, Chénier s'est vu annexé par la contre-Révolution. Or il est un représentant particulièrement marquant de tout un courant idéologique qui n'a guère pu s'exprimer que pendant les premiers temps de la Révolution et qui a courageusement combattu contre l'Ancien Régime et pour une monarchie constitutionnelle, puis contre les Jacobins, leur intransigeance, leur mépris des libertés individuelles.

La poésie de Chénier pose aussi cette question de l'omniprésence de l'Antiquité à une époque où il semble au contraire que soit coupées les amarres avec le passé pour s'élancer vers l'avenir. Pour Chénier, la Grèce est, de plus, le monde de l'enfance et de la mère. Mais pour tous les hommes de sa génération, l'Antiquité est une résurgence du mythe de l'âge d'Or, une promesse de régénération ; se plonger dans la tradition antique, c'est retrouver une vigueur première, c'est retrouver une sagesse, un langage perdus (d'où l'importance d'*Hermès* Trismégyste, sujet de poème épique de Chénier, 1782-1785). « Sur des pensers nouveaux faisons des vers antiques. » Parce que l'Antiquité est source de régénération, elle n'entraîne pas rétrogradation, elle ouvre au contraire les voies du futur. Imiter l'Antiquité, ce n'est pas revenir en arrière, c'est renouer avec les forces vives de la poésie et de la nature, pouvoir rebâtir un monde, un art véritablement forts.

Chapitre VII

LE ROMAN

Ce genre, qui avait connu une telle expansion pendant tout le XVIIIe siècle, va continuer à proliférer pendant la Révolution, avec une vitalité accrue, à la fois par le pathétique des situations que l'événement fournit en surabondance, et aussi par l'accroissement considérable de l'étendue du lectorat : à partir de la Révolution, le roman devient un genre populaire, et les tirages augmentent considérablement. Pigault-Lebrun ou Ducray-Duminil sont les premiers représentants de la littérature à grande diffusion.

1789 ne marque pas une brusque rupture, comme dans d'autres genres plus directement liés à la politique ; on continue à publier des récits qui ne semblent pas tenir compte de la Révolution ; et quand il en intègre l'image, le roman sert aux partis les plus divers. Le roman d'émigration a une place importante. Le facteur commun le plus évident entre des romanciers qui souvent appartiennent à des idéologies opposées, c'est l'influence de Rousseau qui, tout autant que des idées politiques, fournit aux hommes de ce temps des thèmes d'exaltation de la sensibilité et du moi.

C'est aussi l'influence de Rousseau qui explique le succès du roman par lettres. Le triomphe de cette forme s'était affirmé dans la deuxième moitié du XVIIIe siècle :

il se poursuit. Cependant l'expansion de la littérature du moi (que nous examinons plus loin) explique un retour à la forme du roman-mémoire à la première personne, roman autobiographique, ou pseudo-autobiographique : elle avait déjà été beaucoup pratiquée au début du XVIIIe siècle ; elle se charge davantage de confidences désormais. Mais au niveau des formes, roman par lettres, roman autobiographique ne font que reprendre des structures qui ont depuis longtemps fait leurs preuves. Le style romanesque ne se modifie pas de façon visible pendant ces dix années de la Révolution : le renouveau est plus sensible au niveau des thèmes que des formes.

Ce qui, du point de vue esthétique, est peut-être le plus notable, c'est à quel point des registres qui jusque-là étaient relativement distincts (roman sentimental, roman noir, roman fantastique, etc.) se trouvent mêlés, brassés à l'image du brassage social qui est en train de s'opérer. Aussi n'utiliserons-nous ces distinctions que pour simplifier un exposé qui doit être rapide malgré l'abondance des productions. Mais les œuvres les plus intéressantes sont justement celles qui transcendent les catégories : les romans de Sade sont à la fois romans philosophiques, romans libertins, romans sensibles, romans noirs, romans fantastiques.

Le genre sentimental. — Comme le drame au théâtre, il manifeste à quel point ces hommes et ces femmes de la Révolution étaient des êtres de sensibilité et de sentiment. Ce genre avait connu sous Louis XVI un grand succès et continue pendant toute cette période. On lit Baculard D'Arnaud et Loaisel de Tréogate avec délices. Il faudrait d'ailleurs dans une étude de l'activité romanesque de la Révolution tenir aussi compte des rééditions : elles manifestent autant que les créations le goût du public (cf. la *Bibliographie de la France révolutionnaire et impériale* d'A. Monglond).

Bernardin de Saint-Pierre fut honoré par la Révolution, puisqu'elle le nomma intendant du Jardin des Plantes en 1792, puis professeur de Morale à l'Ecole normale supérieure récemment créée par elle. *La Chaumière indienne* (en 1791) est une nouvelle qui est tout à fait dans le même esprit que *Paul et Virginie* (1788) : même rêve exotique, même sensibilité, même sens de la couleur et du paysage. On a aimé chez Bernardin aussi le disciple de Rousseau ; le succès de Bernardin n'est pas si excessif qu'on a pu le dire pendant la période de disgrâce qu'il a connue dans les années 1960 ; sa redécouverte est tout à fait méritée. Ses qualités de style sont éclatantes, et la constance de son succès populaire aussi bien en France qu'à l'étranger a de quoi faire réfléchir les doctes.

Les femmes avaient toujours excellé dans la création romanesque. Cette période révolutionnaire est marquée par les réussites incontestables que constituent, par exemple, les *Trois femmes* (1797) de Mme de Charrière (1740-1805) ou *Claire d'Albe* (1799) de Mme Cottin (1773-1807). Mme de Souza (1761-1836) n'est pas négligeable (*Adèle de Sénange*, 1794 ; *Emilie et Alphonse*, 1799). Le roman féminin est souvent axé sur une critique de la condition féminine, et il peut apparaître symbolique qu'Olympe de Gouges (1755-1793), à la fois passionnaria et victime de la Révolution, ait donné en 1792 un roman féministe : *Le Prince philosophe*, conte oriental. De notre période datent les débuts de Mme de Staël, à la fois dans la réflexion théorique *(Essai sur les fictions)* et dans l'écriture romanesque (*Zulma*, 1794).

Le roman sentimental, par la forte teneur autobiographique qu'il présente, annonce bien souvent le premier romantisme. Et la filiation (amoureuse) de Mme de Charrière à B. Constant est significative. *Aldomen* (1795) est une faible annonce d'*Oberman* (1804). Ces romans, que l'on a un peu trop vite fait d'épingler sous l'étiquette quelque peu péjorative de « sentimental », sont porteurs d'un renouveau à la fois par le sentiment de la nature qui s'y fait souvent jour et qui entraîne un certain développement de la technique descriptive (ainsi dans le roman du Suisse F. Vernes, *Adélaïde de Clarencé, ou les malheurs et les délices du sentiment*, 1796), mais aussi par le développement de l'analyse, de l'expression de l'intériorité. Le lien avec l'événement y est perçu parfois en écho, parfois beaucoup plus directement. Ainsi dans le roman d'émigration, dont il faut souligner la naissance comme une conséquence — bien involontaire — de la Révolution. Les émigrés sont nombreux dans les romans de Mme de Charrière qui a eu l'occasion d'en rencontrer beaucoup en Suisse. Le roman d'émigration le plus typique est celui de Senac de Meilhan (1736-1803). Romancier non sans talent, quoique engoncé dans des clichés du style de l'Ancien Régime, après avoir donné en 1790 *Les Deux cousins*, il publie en 1797 *L'Emigré*. Cette littérature de l'exil ne prendra toute sa dimension poétique et métaphysique (l'émigré est un « étranger » au sens où l'entendra Camus) qu'un peu après notre période, ainsi dans l'*Oberman* de Senancour ou chez Chateaubriand.

Le roman libertin. — La Révolution vertueuse, moralisatrice et familiariste n'entraîna pas sa disparition, loin de là, et la place de *Français encore un effort* intégré par Sade à *La Philosophie dans le boudoir* est en quelque sorte symbolique. L'engagement politique des auteurs est d'ailleurs très divers. Ainsi Nerciat émigre et poursuit avec *Monrose ou le Libertin par fatalité* (1795), sa *Félicia*. Il donne les *Aphrodites* (1793) et écrit *Le Diable au corps* (1803), qui ne sera publié qu'après sa mort, chef-d'œuvre de ce libertinage quelque peu intemporel, de cette écriture raffinée qui appartient peut-être davantage à la décennie antérieure.

Mirabeau avait écrit ses œuvres érotiques avant que n'éclate la Révolution (*Erotika Biblion*, *Le libertin de qualité ou ma Conversion)*, mais les *Lettres à Sophie* (Monnier) paraissent en 1792, donc après sa mort, lettres adressées à une femme réelle, ce qui n'exclut pas la part de la littérature : la passion et le libertinage s'y mêlent et sont de la meilleure veine. L'œuvre de Louvet de Couvray (1760-1799) avait été aussi écrite avant qu'il devienne constitutionnel. Cependant, la fin de la longue histoire de Faublas paraît sous la Révolution (*Fin des amours de Faublas*, 1790), il y a un assombrissement, un approfondissement aussi dans cette fin. Le héros devient fou, et la dénonciation des inégalités donne un nouveau sens à cette œuvre si riche et trop mal connue du grand public. *Emilie de Varmont* (1791) est plus nettement encore chargé d'un message politique, son sous-titre est clair : *Ou le Divorce nécessaire*. Outre la défense du divorce, Louvet de Couvray réclame aussi le mariage des prêtres.

Rétif et Sade. — Les deux romanciers les plus féconds dans ce domaine seraient Rétif (1734-1806) et Sade (1740-1814), encore ne faut-il les classer dans la catégorie du roman libertin qu'avec beaucoup de circonspection : le roman de Rétif est largement sentimental et rousseauiste, quant à celui de Sade, il est avant tout philosophique. Les deux écrivains diffèrent autant qu'il est possible et se vouent haine et mépris. Rétif est l'homme du peuple, Sade, l'aristocrate, même si, au moment de la Révolution, les opinions de Sade sont plus audacieuses que celles de Rétif.

L'Anti-Justine ou les Délices de l'Amour, comme son titre même l'indique, prétend s'opposer à Sade, mais est assez faible (impression inachevée en 1798). La création romanesque de Rétif est plus convaincante ailleurs, quand dans des chroniques de la vie quotidienne *(Les Nuits, L'Année des Dames nationales)*, et dans son autobiographie *(Monsieur Nicolas)* il intègre des nouvelles où se manifeste son art du récit (voir aussi

Les Contemporaines replacées, nouvelles écrites en 1796-1797, qui ne paraîtront qu'en 1802). La forme relativement brève de la nouvelle convient bien à cet écrivain d'une fécondité inépuisable. Ces scènes au jour le jour ne sont pas seulement de précieux témoignages, on voit aussi comment fonctionne l'imagination créatrice. Ces petits romans-vérité sont l'aboutissement de son réalisme visionnaire (voir *infra* « Mémoires et journaux intimes »).

Sade avait écrit la première *Justine* avant la Révolution ; il publie en 1791 la deuxième version : *Justine ou les Malheurs de la Vertu* et, en 1797, la troisième : *La Nouvelle Justine ou les Malheurs de la Vertu*, le thème de départ a pris une ampleur considérable. La nouvelle philosophique à la Voltaire devient successivement un roman noir, puis un roman épique, déjà romantique. C'est aussi pendant la période révolutionnaire que paraissent *Aline et Valcour ou le roman philosophique* (1795, mais « écrit à la Bastille un an avant la Révolution de France »), *La Philosophie dans le boudoir* (1795), *Les Crimes de l'amour* (an VIII). La première de ces trois œuvres est en fait double puisque l'histoire d'Aline et Valcour contient aussi celle de Sainville et Léonor. C'est le seul des romans de Sade qui emmène le lecteur outre l'Europe, pour lui faire voir la double utopie du royaume de Butua au centre de l'Afrique où règne la terreur, la violence, la torture, et celle de l'île de Tamoé, gouvernée par un roi philosophe. *La Philosophie dans le boudoir* appartient, avec ce mélange de parodie et de sérieux que Sade pratique avec un succès tout particulier, au registre du roman pédagogique. Il s'agit d'enseigner à Eugénie, qui se révèle une élève fort douée, le vocabulaire, la technique, l'esprit, la philosophie du libertinage. Si Sade y intègre la brochure *Français encore un effort*, ce n'est pas par opportunisme — le livre paraît largement après la réaction thermidorienne — c'est qu'il y a réellement dans son esprit une continuité entre libération sexuelle et libération politique. *Les Crimes de l'amour* sont un ensemble de nouvelles qui appartiennent à des registres fort variés. La tradition classique de la nouvelle historique et psychologique s'y enrichit d'un certain romantisme, avec des aspects très « noirs » (ainsi dans telle nouvelle à l'atmosphère anglaise : *Miss Henriette Strolson*), avec un goût très marqué pour l'inspiration médiévale. Le lecteur que rebutent les longueurs de Sade aimera ces textes relativement brefs où le genre littéraire choisi implique une certaine sobriété de l'écriture.

Sade a écrit avant et après la Révolution. Son œuvre semble davantage se développer selon la logique de ses propres fantasmes qu'en relation avec l'événement historique, et pourtant ce n'est pas un hasard si ses plus grandes œuvres paraissent justement pendant notre période, d'abord parce qu'une relative libération de la censure permet leur publication, mais aussi parce qu'il existe une parenté certaine entre l'œuvre de cet aristocrate et la Révolution, par le désir d'un bouleversement, par la violence, par l'excès même.

Le fantastique et le noir. — Le fantastique, à la veille de la Révolution, avait donné deux chefs-d'œuvre : *Le Diable amoureux* (1772) de Cazotte (1729-1792), et *Vathek* (1787) de l'Anglais Beckford (1760-1844). Mais la Révolution guillotina Cazotte dont l'illuminisme s'était orienté vers un monarchisme mystique. Quant au troisième grand auteur fantastique de cette période, le Polonais Potocki (1769-1815), il ne donne le *Manuscrit trouvé à Saragosse* qu'en 1804. Y aurait-il une période creuse dans l'entre-deux ? Loin de là. Mais le fantastique de l'époque révolutionnaire, hanté par l'horreur de l'événement, a tendance à ne pas se distinguer nettement du roman noir, et d'autre part, à prendre un aspect réaliste. Nul n'est besoin de supposer l'intervention d'êtres chimériques, les forces secrètes du mal existent bel et bien dans le monde : ce sont des hommes qui en sont les instruments, soit par leur perversité individuelle, soit qu'ils appartiennent à des groupements mystérieux, des sociétés secrètes, etc. Le plus caractéristique de cette période et de ce qui peut apparaître comme se détachant nettement d'une production massive, mais souvent médiocre, c'est bien *Pauliska ou la perversité moderne* de Révéroni Saint-Cyr (1798). La « perversité » y atteint une dimension fantastique, certes. Pauliska est une héroïne polonaise, victime internationale ; on trouve, comme chez Sade, l'utilisation de la machine permettant un raffinement de cruauté, un effet d'étonnement chez le lecteur qui vient d'assister au XVIIIᵉ siècle à une transformation des techniques. Mais s'agit-il encore de fantastique ? ou plutôt n'assiste-t-on pas là à cette mutation du fantastique en science-fiction qui va se manifester à l'aube du XIXᵉ siècle avec le *Frankenstein* de Marie Shelley.

C'est plutôt au genre noir finalement qu'il faut rattacher Révéroni Saint-Cyr. Ce genre, ce n'est pas la Révolution qui l'a créé, mais elle a contribué à son développement en France. A la fois parce qu'elle a multiplié les situations dramatiques, mais aussi parce qu'elle a encouragé une interprétation tragique de l'Ancien Régime, en particulier des hautes époques.

Les liens entre roman noir et roman historique prouveront leur fécondité à l'époque romantique. A notre période, le sous-titre « roman historique » est fréquent, ce qui prouve l'impact commercial d'une telle dénomination. Agnès Musgrave sous-titre *Edmond de la forêt* « roman historique » (an VII) ; Belin de la Borlière publie l'an IX *Anna Grenwill*, roman historique du siècle de Cromwell.

L'anglomanie est fréquente dans le roman noir, les modèles les plus prestigieux venaient de l'Angleterre (cf. *supra*). L'abbé Morellet adapte *Les Enfants de l'abbaye* de R. M. Roche (an VI). Le baron de Lamotte-

Langon se présente, quant à lui, comme le simple traducteur de romans dont il est probablement l'auteur : *Le Spectre de la galerie*, *L'Hermite de la tombe mystérieuse*.

Le romancier qui s'est montré le plus caractéristique du genre noir à l'époque que nous étudions, est certainement Ducray-Duminil (1760-1819). Sa production est surabondante, deux de ses œuvres cependant ont connu un succès tout particulier : *Victor ou l'enfant de la forêt* (1796) et *Coelina ou l'enfant du mystère* (1798).

Le roman noir a ses « topoï », il ne fonctionne même que par eux. C'est un art comparable à celui de la commedia dell'arte ou de la bande dessinée : il s'agit de créer des variations surprenantes à partir de canevas plus ou moins connus. Les personnages sont répartis selon un manichéisme simpliste. La victime est le plus souvent une femme jeune et belle, ce qui permet au genre noir de se complaire dans des voluptés sadiques ou sadiennes. Autour d'elle, des complots qui peuvent varier et être soit simplement familiaux, soit prendre une dimension politique ; les méchants ont une puissance redoutable ; néanmoins la victime, d'abord présentée comme tout à fait isolée, ou entourée de faux amis, orpheline, etc., rencontre quelque personnage qui joue le rôle d'adjuvant. Chemin faisant apparaissent le moine pervers, le bandit au grand cœur, etc. Les paysages sont tout aussi stéréotypés : nature sauvage et terrifiante, la forêt, la montagne ; le roman noir participe de ce goût pour les paysages sauvages que l'on constate dans la littérature de la fin du XVIIIᵉ siècle. S'il s'agit de paysages d'intérieur : châteaux forts, couvents, souterrains, cachots ; l'architecture médiévale est chère au roman noir, d'où son appellation de « gothique », et nul doute qu'il n'ait contribué à la redécouverte du Moyen Age par nos romantiques.

A une époque où le psychisme des individus et des collectivités a été si profondément bouleversé, le roman noir permet l'expression de ce que nous appellerions des fantasmes et s'y joue l'alliance d'Eros et de Thanatos. Il suffit de lire Sade pour voir tout l'impact érotique du thème de la victime innocente ; le macabre est une catégorie qui se développe aussi considérablement dans le roman noir et pas seulement chez Sade : la victime rencontre inévitablement dans le souterrain les ossements des victimes qui l'ont précédée, etc.

La signification politique du roman noir est ambiguë et elle semble évoluer très vite au cours de ces dix années où tant d'événements se succèdent. Dans un passé parfois éloigné, la victime apparaissait comme celle de l'Ancien Régime. Mais, dans la mesure où le lecteur aura tendance à penser à la situation présente, et où les victimes sont au contraire celles de la Révolution, le roman noir pourra véhiculer une idéologie monarchiste. D'où, par exemple, des récits intitulés *Le Cimetière de la Madeleine* ; d'où aussi le développement du roman noir après la réaction thermidorienne, et encore sous le Consulat. Les horreurs de la répression vendéenne deviennent un thème de choix.

Des scories ? Tous les genres littéraires en ont produites. Ce qui reste finalement très positif dans le roman noir, c'est son caractère populaire. Son manichéisme, son goût pour les situations, les paysages, les personnages stéréotypés sont justement les signes de cet élargissement de l'horizon d'attente. Très caractéristique du succès du roman noir, le fait qu'il donne souvent lieu à des adaptations pour la scène. L'image d'Epinal, le mélodrame, le roman noir, autant de manifestations de cette transformation du public de l'œuvre et par conséquent de l'art lui-même.

Chapitre VIII

MÉMOIRES ET JOURNAUX INTIMES

Les dix années que nous étudions sont particulièrement riches dans le domaine des écrits intimes. Et l'on en verra facilement les raisons. Elles relèvent de l'histoire littéraire et de l'Histoire au sens plus général. Ici, comme toujours, nous devons évoquer l'influence décisive de Rousseau. Les *Confessions* ont montré comment tout dans une existence, et en particulier dans l'enfance, pouvait être intéressant, dès lors que le plus infime détail devenait révélateur du moi, dès lors que la magie de la mémoire et du style étaient capables de ressusciter le temps perdu. La Révolution a cependant brusquement accentué ce processus d'évolution qui s'amorçait avant elle. La menace qui pèse sur tant d'existences confère soudain un caractère précieux, poignant aux plus humbles souvenirs, et Mme Roland, en prison, évoque avec une nostalgie qui n'est que trop compréhensible son enfance et son adolescence. L'accélération de l'Histoire, la multitude des événements accroissent l'intérêt de tout récit. Et l'autobiographie rejoint alors une autre tradition, celle des *Mémoires* toujours féconds en période de crise — ainsi ceux du cardinal de Retz pour la Fronde, ceux de Saint-Simon pour la Régence, etc. Mais il n'est plus nécessaire d'être un haut personnage pour avoir à écrire des mémoires ayant une dimension historique. La Révolution a donné l'illusion à l'homme de la rue qu'il faisait l'Histoire. En tout cas, il la subit.

On a souvent dit aussi combien le développement de ces genres du moi était lié à l'ascension de la classe bourgeoise, et que la Révolution de 1789 était essentiellement une révolution bourgeoise. Quoique l'une et l'autre proposition appellent des nuances, et plus que des nuances (autobiographie et journal peuvent se développer dans des contextes très divers, témoins saint Augustin et l'auteur du dit du Genji ; et d'autre part la Révolution n'a été bourgeoise qu'à certains moments, par certains aspects, etc.), elles n'en demeurent pas moins des explications acceptables du phénomène que nous analysons. Au cours du XVIIIᵉ siècle s'est constituée la notion de « vie privée », et cette vie privée apparaît d'autant plus précieuse que la vie publique est tumultueuse et que la vie tout court est menacée. On a souvent marqué aussi l'origine religieuse des écritures du moi, prolongements, substituts de l'examen de conscience et de la confession. A une époque où les normes du religieux sont fondamentalement remises en cause, où la religion traditionnelle est persécutée, où le Culte de la Raison peut ne pas satisfaire toutes les sensibilités, le Culte du Moi prend donc le relais et permet à tout ce refoulé de trouver dans l'écriture un refuge.

Si ces œuvres nous touchent particulièrement, c'est évidemment qu'elles ont été écrites dans un contexte pathétique et que leur intérêt historique est constant, c'est aussi que, par leur forme littéraire, elles demeurent très modernes, très proches de nous. Alors que le théâtre et la poésie révolutionnaires subissent encore le poids des règles de l'esthétique classique, la prose intime, genre non codifié par le classicisme, possède une liberté d'allure irremplaçable. L'esthétique néo-classique n'en est pas absente certes, et les *Vies* de Plutarque constituent (et déjà pour Rousseau) un modèle de vertu et de style. Néanmoins, dans la mesure où tous les registres sont possibles, celui de la tension héroïque alterne et cohabite avec un style familier de la vie quotidienne et la concomitance même de ces registres contribue au charme de ces écrits.

Abondance et variété des œuvres. — Plus que dans d'autres domaines, on s'interroge ici sur les frontières de la littérature. Nous aurions tendance à intégrer tout récit de vie, tout journal, sans trop nous soucier d'établir des distinctions, d'ailleurs parfois contestables, entre ceux qui auraient une valeur littéraire et ceux qui ne l'auraient pas. L'abondance des œuvres, d'autre part, rend le classement assez difficile, et pourtant il est vraisemblable que dans ce registre plus encore que dans d'autres, la destruction a dû jouer considérablement. Si l'on a publié de nombreux journaux (ainsi celui de Joubert, d'Aimée de Coigny, la « jeune captive » chantée par Chénier) que de notes ont dû périr peu après leur auteur, dans quelque opération de nettoyage des prisons !

La distinction classique entre les journaux, écrits au jour le jour, et les autobiographies plus synthétiques, plus rétrospectives, demeure, mais vaut peut-être davantage au niveau de la forme (une certaine continuité dans les Mémoires ; la discontinuité du journal) qu'au niveau du contenu, dans la mesure où, pris par l'urgence du présent, les auteurs, à cette période plus qu'à tout autre, ne peuvent se priver de ce contrepoint entre passé et présent qui fait la beauté de beaucoup de textes autobiographiques.

Il est indispensable de rattacher aux écrits du moi cette autre forme qu'est la correspondance. Les lettres de Camille Desmoulins, celles de Lucile (qui laisse aussi un carnet intime) sont vibrantes. La Révolution (en particulier les archives de Fouquier-Tinville) nous a laissé un ensemble tragique de « dernières lettres » envoyées par les prisonniers à leur famille, à la veille de monter à l'échafaud. La résignation, le courage s'y expriment dans une langue dont la fermeté nous étonne.

Les éditions de correspondances qui ont été entreprises ces dernières années font bien sentir l'intérêt de tout premier ordre de celles qui appartiennent à notre période, à la fois comme document historique, mais tout autant comme des sortes de journaux intimes ayant un destinataire défini. A côté d'inconnus dont les lettres se révèlent fort pittoresques (ainsi ce Bernoyer qui suit Bonaparte en Egypte et n'a pas l'envergure d'un Vivant Denon, mais dont le témoignage est précieux), il faut faire une place de choix à la correspondance de Fontanes et de Joubert, et à ces très grands épistoliers que sont Mme de Staël et Chateaubriand. Ils appartiennent à des courants politiques différents, mais l'ampleur de l'analyse historique alliée à l'expression du moi contribue, avec les qualités éclatantes de leur style, à faire de certaines de leurs lettres de grands textes.

Il ne faudrait pas non plus, parce qu'elle est plus pathétique, limiter la littérature du moi à une littérature carcérale, quoique la prison favorise ce type d'écriture (du moins quand elle ne l'interdit pas), et que par nature l'écriture du moi peut devenir une sorte de prison. Il est bien vrai que les victimes sont plus intéressantes sur ce point que les bourreaux, qu'elles ont plus le temps d'écrire que les dirigeants politiques, mais on passe très vite d'une catégorie à une autre, et Mme Roland après avoir été une égérie de la Révolution en est la victime.

Il serait donc arbitraire d'assimiler littérature du moi et littérature anti-révolutionnaire, comme d'ailleurs littérature anti-révolutionnaire et littérature carcérale. Aux journaux de prison répondent les journaux de voyage des émigrés. Si l'émigration fut pour beaucoup tout autre chose qu'une partie de plaisir, elle n'en fut pas moins l'occasion de voyages forcés, d'expériences qui se prêtaient à l'expression du moi. *Oberman* (1804) peut être la mise en forme (ou la simulation) romanesque du journal d'un émigré à travers la Suisse.

Que de textes on pourrait évoquer maintenant. Même quand ils émanent de personnages tout à fait secondaires (Mémoires d'émigration, ainsi de Faurichon de La Bardonnerie, *Mémoires sur l'expédition d'Egypte* de J.-M. Moiret) l'importance, la variété des événements leur confèrent un intérêt historique et humain incontestable. Les personnalités marquantes de la Révolution ont laissé des mémoires : Brissot, Barbaroux, Pétion, La Revellière-Lépeaux, Billaud-Varenne, Barnave. Les *Mémoires de la Révolution française* de Morellet ne manquent pas d'intérêt. Ces mémoires appartiennent à des registres et à des idéologies très variables. Ainsi autour de la Vendée, le général Turreau, emprisonné par les Thermidoriens, s'explique et tente de justifier les colonnes infernales, tandis que la marquise de La Rochejacquelin laisse un récit poignant de la vie qu'elle a menée pendant la guerre de Vendée, aux côtés de son mari Lescure, de la terrible bataille du Mans, des angoisses, des douleurs d'un « peuple de femmes, d'enfants et de vieillards », dans « la déplorable déroute ».

Le *Tableau de quelques circonstances de ma vie* (1796) de Chabanon, ce fin musicien et musicologue possède une incontestable saveur autobiographique. Les *Mémoires* de Grétry (1789-1797) également. En 1797, Louvet de Couvray écrit de fort intéressants fragments de ses mémoires (qui ne seront publiés qu'en 1889). Saint-Martin écrit entre 1789 et 1803, *Mon Portrait historique et philosophique* (publié en 1961). Beaucoup de ces textes sont publiés à titre posthume (avec tous les risques d'inexactitudes, de censure, etc., que cela suppose). Pas tous cependant et les auteurs qui ont survécu ont souvent organisé eux-mêmes la publication de leur texte — non sans retouches — et son succès.

Il faudrait aussi évoquer le phénomène des biographies (parfois hagiographiques) lorsqu'elles sont en fait des autobiographies à l'aide d'un scripteur (comme Napoléon chargera Las Casas d'écrire son *Mémorial*). Il n'est pas arbitraire de réunir dans un même volume, comme le fait une récente édition (Mercure de France, 1987), et si remaniés soient-ils, le *Journal de ce qui s'est passé à la tour du Temple* par Cléry, les *Dernières Heures de Louis XVI* de l'abbé Edgeworth de Firmont, et le *Journal* de Marie-Thérèse de France, duchesse d'Angoulême. L'identité de Cléry s'efface devant celle du roi.

Trois autobiographes. — Trois auteurs nous semblent cependant présenter un intérêt tout particulier, et la différence même de leurs tempéraments, des conditions dans lesquelles ils écrivent, donnera une idée de la diversité et de la richesse de la littérature autobiographique de ces dix dernières années du XVIIIe siècle. La situation du scripteur est certes bien différente dans le cas de Mme Roland qui écrit en prison, de Casanova qui est hors de France et de Restif de La Bretonne qui n'a eu à souffrir que des pertes matérielles de la Révolution.

Mme Roland (1754-1793). — Née Marie-Jeanne Phlipon, elle appartenait à la petite bourgeoisie. Son enfance fut bercée par la lecture de Plutarque. A l'âge de 10 ou 11 ans elle est victime d'une tentative de viol et le raconte dans ses *Mémoires*, ce qui apparaîtra à Sainte-Beuve comme un « acte immortel d'impudeur », et ce qui nous semble au contraire dans la logique même d'une écriture du moi qui prétend tout dire. Une crise mystique lui fait rêver du cloître. Mais la lecture des œuvres des Philosophes, de Diderot, d'Alembert, Helvétius, d'Holbach va orienter son évolution intellectuelle. Elle fréquente des salons (celui des demoiselles de La Motte), des artistes, musiciens, graveurs, etc. Elle refuse les mariages d'argent, éprouve une vive passion pour Pahin de La Blancherie. La mort de sa mère la plonge dans le désespoir et dans une lecture passionnée de Rousseau. Elle épouse Roland de La Platrière « homme de quarante et quelques années, haut de stature », aux traits « plus respectables que séduisants », « un caractère droit », « un jugement sain ». Une commune admiration pour les Philosophes crée entre eux un lien et, non sans des hésitations de la part de Roland et des moments de lassitude de la part de Marie-Jeanne, aboutit au mariage en 1780. Au début de la Révolution, le salon des Roland est fréquenté par l'aile gauche : Brissot, Pétion, Buzot, Robespierre. Roland devient le secrétaire de la

Société des Jacobins (début 1792). Roland fut, avec Clavière et Servan, ministre de Louis XVI, et Mme Roland qui avait rédigé la mise en demeure au roi que son mari envoya le 10 juin, se félicita de son congé : « Je n'avais pas été fière de son entrée au ministère, je le fus de sa sortie. »

Bientôt Mme Roland est écœurée par les violences de la Révolution, en particulier lors du massacre des prisonniers d'Orléans : « Vous connaissez, écrit-elle, mon enthousiasme pour la Révolution, eh bien, j'en ai honte ! Elle est ternie par des scélérats, elle est devenue hideuse. » Les Roland vont être des victimes de la lutte entre Girondins et Montagnards. Quoique retirés, à partir du 22 janvier 1793, de la vie politique, les Roland ne cessaient d'être l'objet d'attaques de Marat. Dans la nuit du 31 mai au 1er juin, Mme Roland fut arrêtée et incarcérée à l'Abbaye. Elle y reprend la lecture de Plutarque, adresse une correspondance passionnée à Buzot, et surtout rédige ses souvenirs, parvenant à faire sortir de prison ses cahiers au fur et à mesure. Bosc puis Mentelle furent les précieux dépositaires des manuscrits. Mais une partie de ses « Notes historiques » avait été détruite chez et par Champagneux. Quand elle l'apprend elle se met à écrire des « Portraits et anecdotes » pour compléter ce qu'il restait des *Notices historiques sur la Révolution*, et les *Mémoires particuliers* sur ses années de jeunesse. Mme Roland fut condamnée à mort, à la requête de Fouquier-Tinville et guillotinée. Certains témoins prétendent qu'elle aurait prononcé la célèbre phrase devant la statue de la Liberté, place de la Révolution : « O Liberté, que de crimes on commet en ton nom. »

Ses manuscrits furent publiés d'abord dès 1795 par Bosc, mais d'une façon très fautive, avec des coupures, des corrections ; ils parurent sous le titre *Appel à l'impartiale postérité*. L'édition Champagneux de 1800 est encore pire. Et celle des *Mémoires* en 1820 un mélange de ces deux éditions. Il faut attendre 1864 pour avoir deux éditions intégrales mais fautives, d'après les manuscrits (Dauban, Faugère). La première bonne édition remonte à 1905 : elle est l'œuvre de Claude Perroud.

Les *Mémoires* de Mme Roland ont suscité l'admiration des romantiques : Chateaubriand qui appartient cependant à une idéologie politique tout autre, Lamartine qui voit en elle « l'âme de la Gironde », l'image de « la République prématurée et idéale qu'elle avait conçue ; belle, éloquente, mais les pieds dans le sang de ses amis, et la tête tranchée par son propre glaive, au milieu d'un peuple qui ne la reconnaît pas ». Stendhal rêvait à elle lorsqu'il imaginait une destinataire pour la *Vie de Henry Brulard* : par sympathie pour la Révolution française, certes, mais peut-être aussi parce qu'il avait senti en elle une grande autobiographe. L'intérêt documentaire de ces *Mémoires* est capital. Et les *Mémoires particuliers* en retraçant l'enfance et l'adolescence font renaître tout un passé aboli, au moment où la faculté même de se souvenir va disparaître avec la vie elle-même. L'anamnèse qui est la raison et la fonction de l'autobiographie, prend ici cette forme aiguë qu'elle connaît chez certains mourants. Mais l'écrivain déborde encore de vitalité et son stoïcisme n'altère pas un goût inextinguible de la vie qui ressuscite ainsi grâce à l'écriture.

Casanova (1725-1798). — Quand il commence à rédiger ses mémoires, peut-être dès 1789, en tout cas en 1790, il écrit dans des conditions plus douillettes : après une enfance à Venise, des études de droit à Padoue, des voyages à Corfou, Constantinople, des séjours en France, en Espagne et à Saint-Pétersbourg, il finit ses jours en Bohême, à Duxbourg, près de Carlsbad où il est devenu le bibliothécaire du comte de Waldstein. Si ce Vénitien a choisi d'écrire en français, c'est que c'est alors la seule langue vraiment internationale, que c'est aussi avec Rousseau dont il a, lui aussi, subi l'influence, la grande langue de l'autobiographie.

Le fait qu'il vive alors hors de la France ne saurait justifier son exclusion d'un panorama de la littérature française entre 1789 et 1799. Son français est beaucoup plus correct qu'on ne l'a dit. Pendant longtemps, en effet, faute d'avoir son manuscrit, on s'est efforcé de le corriger, de le défigurer. Son texte n'a d'abord été connu que par l' « arrangement » de Paul Laforgue ; heureusement le manuscrit avait été conservé par les successeurs de l'éditeur de Leipzig qui avait le premier édité Casanova dans une traduction allemande. Ainsi en 1960 les éditions Brockaus puis Plon ont enfin pu donner le véritable texte de Casanova.

Si l'influence de Rousseau est sensible, Casanova cependant, dès les premières lignes, entend récuser toute idée d'aveu et de faute. Mme Roland non plus n'emploie pas le titre de « confessions » : il n'est pas possible, certes, de reprendre le titre même de Rousseau, mais peut-être aussi pendant ces dernières années du siècle, un tournant est-il pris dans l'histoire de l'autobiographie, qui, en la détachant de la notion de faute et d'aveu, contribue à sa laïcisation. Casanova, pas plus que Stendhal, ne se repent de ses fautes passées. Impénitent, il l'a toujours été et entend bien le demeurer. Cette autobiographie est écrite sous le signe du plaisir : plaisir d'aimer, plaisir de se ressouvenir, plaisir d'écrire.

Ce qui frappe aussi, et d'autant plus si l'on vient de refermer les *Mémoires* de Mme Roland, c'est le sentiment de liberté qui se dégage de l'*Histoire de ma vie*. Cette liberté provient d'une « certaine marginalité » (M. Delon), elle provient aussi de l'incessant voyage qui fait que Casanova ne se fixe pas plus à une ville qu'à une femme, toujours disponible, toujours prêt à reprendre l'aventure. L'art de la fugue, il le pousse à l'extrême, jusqu'au moment où, vieilli, il se fixe en Bohême, pour raconter justement ses fuites passées. L'art de la fugue a totalement manqué à Mme Roland, qui se représente dans ses *Mémoires*, tel Socrate refusant les possibilités d'évasion que lui offrent ses amis. C'est que toute sa vie n'a été qu'engagement, alors que

Casanova refuse ce qui lui semblerait une limitation. Il ne peut comprendre la Révolution, il reste fondamentalement un homme d'Ancien Régime, avec ce que cette expression (simplificatrice) suppose de légéreté, d'esprit, de refus de l'austérité.

Bien différent aussi de la vertu de Mme Roland (vertueuse dans son adolescence, dans son idéal républicain, dans le mariage et dans l'adultère), Casanova incarne, dans sa légende même, et pour une bonne part, dans la réalité de son existence, le plaisir du libertinage cosmopolite. Avec ses parcours obligés, si j'ose dire, dans une longue carrière : l'inceste avec ses filles qui ramènent le libertin vingt ans plus tôt : autrement dit l'inceste comme image concrète de la remémoration et de l'écriture autobiographique. Et nous voilà sur un domaine qui est aussi celui de Rétif de La Bretonne.

Rétif de La Bretonne. — Il a pratiqué tous les registres de l'écriture du moi. Il faut rappeler la forte teneur autobiographique de son théâtre et de ses romans (cf. *supra*). Dans le registre que nous étudions ici, il conjugue, pendant la Révolution, trois types d'écriture : le journal proprement dit, et le journal-chronique que constituent les *Nuits*, l'autobiographie, avec *Monsieur Nicolas*, enfin l'autobiographie virtuelle avec les *Revies*.

Les Nuits de Paris, ou le Spectateur nocturne avaient commencé à paraître dès 1788 (t. I-VI). Un septième volume parut en 1789, *La Semaine nocturne*, suite des *Nuits*, en 1790. En 1794, le tome VIII des *Nuits*. *Le Palais royal* (1790), *L'Année des dames nationales* (1791-1792-1794) appartiennent, en partie, au même registre. La Révolution donne à ce journal-chronique un intérêt tout particulier. C'est la Révolution vue au jour le jour, par un témoin qui n'est qu'un homme de la rue, mais qui a de la plume. Les grandes journées : 14 juillet, 5 octobre ressuscitent. Ce regard du « Hibou spectateur » manque évidemment de recul, et Restif ne saisit pas toujours l'importance des événements, leur impact, leurs conséquences. Mais les croquis ont précisément ce mérite d'être pris sur le vif, d'être en quelque sorte des instantanés de la Révolution. Restif décrit d'ailleurs sans enthousiasme ce qui nous semble les temps forts de cette période. Il a été blessé par l'horreur de certaines scènes qu'il a vécues. La Révolution qu'il voit n'est pas celle qu'il avait rêvée, dans son imagination utopique ; un communisme patriarcal et agraire lui eût plu davantage. Il se considère comme une victime de la Révolution. On l'arrête, on le relâche ; il est dans la misère, malade. En 1796, il devra demander au « citoyen Carnot » un secours (il est ruiné par l'effondrement des assignats).

Le peu d'argent qui lui restait fut englouti dans la publication de *Monsieur Nicolas* (achevé d'imprimer en 1797), et de son complément *La Philosophie de Monsieur Nicolas*. C'est la grande œuvre de Rétif. Il y remonte jusqu'à ses origines plus ou moins mythiques « à dater de l'empereur Restif ». L'enfant aussi a été roi, roi du pré où il garde ses moutons. Son enfance paysanne ressuscite avec toute sa saveur et son « odor di femmina ». Il va être envoyé par ses parents, paysans aisés et qui ont de l'ambition pour leur fils, chez ses demi-frères, l'abbé Thomas à Bicêtre, et le curé de Courgis. Plus tard, il devint apprenti imprimeur à Auxerre, chez Maître Fourier ; le charme maternel de Mme Fourier (Mme Parangon) adoucit cette rude période. Quatre années à Auxerre ; quatre années à Paris, retour à Auxerre, mariage malheureux avec Agnès Lebègue. Il regagne Paris et devient auteur. Si bien que la vie de *Monsieur Nicolas* n'est pas seulement l'histoire d'un paysan, d'un artisan, mais aussi et peut-être davantage la vie d'un écrivain. *Monsieur Nicolas* est plus qu'un simple document historique, une des grandes autobiographies de notre littérature.

Plus étranges les *Revies* sont par rapport à *Mon-*

sieur Nicolas ce que sont, chez Stendhal, les *Privilèges*, par rapport à *Henry Brulard*. Cette tentation de tous les autobiographes de raconter non leur vie réelle, mais la vie qu'ils auraient pu avoir, Restif l'a connue très tôt, si, comme il le prétend, c'est Cazotte qui lui aurait soufflé : « Que feriez-vous si vous recommenciez votre vie et que vous fussiez maître des événements ? » Mais Restif était assez fécond pour que lui vînt spontanément l'idée qui présida aux *Revies ou Histoires refaites sous une autre hypothèse du cœur humain dévoilé* (écrites à partir de 1798 ; en partie perdues).

Trois grands autobiographes qui écrivent presque simultanément des textes très différents, donc. Leur perception du phénomène révolutionnaire y est totalement divergente. Mme Roland y est impliquée tout entière ; elle y a engagé sa vie ; elle écrit alors que la Révolution la conduit à la guillotine. Casanova, quant à lui, reste en marge ; cet Italien qui, dans un château de Bohême, rédige ses *Mémoires* en français, se sent peu concerné. Restif, lui, est à Paris, mais il n'a pas un rôle actif dans la Révolution ; il la subit, il l'observe, il en laisse dans les *Nuits* des images inoubliables. Pourquoi rapprocher ces trois œuvres, s'il ne s'agit que de faire saillir des contrastes ? Elles appartiennent à la même brève période, à la même littérature française, au même genre autobiographique. Si le présent diffère, la démarche n'en est pas moins la même : faire revivre un passé, qui lui, est bien antérieur à la Révolution, mais qu'il y a désormais urgence à faire renaître par l'écriture. Cette urgence, pour Casanova, elle est due à son âge, à son vieillissement. Restif est de dix ans plus jeune ; mais Mme Roland n'a pas encore atteint l'âge de l'autobiographie ; c'est l'Histoire qui soudain accélère son destin. Parce que pour eux trois, avec plus ou moins de vitesse, la mort est là, leur moi qui va se dissoudre leur apparaît irremplaçable, et l'écriture le seul moyen de le sauver.

Chapitre IX

MAXIMES ET ESSAIS.
RÉFLEXION SUR LA RÉVOLUTION

La distinction entre écrit intime et écrit public tend à disparaître sous la Révolution, tant l'individu est, de gré ou de force, engagé dans l'événement. La Maxime est proche du journal et les Réflexions ou Essais, proches des autobiographies. C'est pourquoi il convient d'aborder maintenant ces écrits qui tendent à plus de généralité, mais où l'accent personnel est sensible. « Les notations de Chamfort, écrit justement Claude Roy, sont souvent comme des fragments d'un journal dont l'éditeur aurait gommé les circonstances et les visages, fait disparaître la trace du détail et du train-train des jours. »

Chamfort (1740-1794). — Lorsque éclate la Révolution, il est connu comme homme de théâtre (*La Jeune indienne*, 1764 ; *Le Marchand de Smyrne*, 1770 ; *Mustapha et Zéangir*, 1776). Depuis 1781, il est académicien. Dès 1787 il se lie avec Sieyès auquel il aurait soufflé le fameux titre de son pamphlet. En mai 1789, il suit Mirabeau à Versailles, rencontre Robespierre, assiste à l'ouverture des Etats généraux, devient l'ami de Camille Desmoulins. Après le vote de la Déclaration des droits de l'homme, il est de ceux qui créent le Club des Jacobins où il promet : « Je jure de vivre libre ou de mourir. » Il suivra ce principe jusqu'au bout. En 1791, il collabore aux *Tableaux de la Révolution*, au *Mercure*. En 1792, il exprime dans sa correspondance avec Condorcet son inquiétude sur la tournure que prennent les événements : « C'est ce qui doit arriver chez un peuple neuf, qui, pendant trois années, a parlé sans cesse de sa sublime Constitution, mais qui va la détruire, et, dans le vrai, n'a su organiser que l'insurrection. » Nommé en 1792 bibliothécaire de la Bibliothèque nationale, il est, en 1793, dénoncé par un de ses subordonnés comme « aristocrate ». Incarcéré aux Madelonnettes il est libéré ; mais lorsqu'on vient l'emprisonner de nouveau, il préfère se donner la mort. Le commissaire chargé de son arrestation le trouve blessé grièvement ; avant de mourir des suites de ses blessures, il peut encore signer un procès verbal où il « proteste... de son innocence et de son patriotisme » et déclare « qu'il se soustraira toujours autant qu'il sera en son pouvoir, par une mort volontaire, aux horreurs et aux dégoûts des prisons quelconques qui ne sont pas faites pour retenir plus de vingt-quatre heures des hommes libres ».

Ginguené réunit ses œuvres et les publie dès l'an III (1795). C'est lui qui classe et divise ses papiers laissés par son ami pour un ouvrage *Produits de la Civilisation perfectionnée*, à partir d'une petite note de Chamfort qui semblait prévoir : 1re partie : Maximes et pensées, 2e partie : Caractères, 3e partie : Anecdotes. Mais toute publication posthume est arbitraire. Si, par sa date de publication, cet ouvrage appartient pleinement à notre époque, il est vraisemblable qu'une partie des maximes avait été rédigée avant la Révolution.

La question du classement est insoluble, compte tenu de la disparition des manuscrits. S'il est probable que Chamfort ait opté pour la forme discontinue, reprenant la tradition de La Rochefoucauld, cette discontinuité est considérablement accentuée par l'inachèvement. Le Romantisme allemand, dans son goût du fragment qu'il va systématiquement pratiquer, retrouvera en Chamfort un maître. Mais le cas de Chamfort justement peut apparaître comme emblématique : c'est la Révolution qui oblige à passer de la maxime classique au fragment romantique.

« Je me suis toujours étonné, écrit Chateaubriand dans l'*Essai sur les Révolutions*, qu'un homme qui avait tant de connaissances des hommes eût pu épouser si chaudement une cause quelconque. » D'après ses Maximes, dont on ne cite toujours que quelques-unes, on s'est efforcé de donner de Chamfort un portrait bien limitatif d'homme désabusé et sceptique. Nietzsche a vu plus juste, lorsque, le rapprochant de Stendhal, il le qualifie ainsi : « Homme riche en profondeurs et en arrière-fonds de l'âme, sombre, douloureux, ardent » *(Le Gai savoir)*. Passionné, il l'est en amour comme en politique, et c'est pourquoi il affirme « La pire des mésalliances est celle du cœur. » On a surtout retenu de lui des maximes ironiques sur l'amour ; il condamne, en fait, le manque d'amour, le commerce de fantaisies et d'épidermes que le libertinage avait érigé en méthode. Mais il a éprouvé à la veille de la Révolution une véritable passion pour Mme Buffon. Elle meurt en 1783. Et regardant ces deux années où il lui a été donné d'aimer, il les appelle « Le seul temps de ma vie que je compte pour quelque chose. »

Il a cru passionnément dans la Révolution. Nietzsche y voit à la fois le signe de l'attachement passionné à la mère (elle est épicière, il est le fils naturel d'un chanoine), doublé d'un certain masochisme. Mais cette analyse de Chamfort est évidemment marquée par l'image que Nietzsche se fait de la Révolution française, et, comme le fait souvent la psychanalyse, limite la portée politique de l'attitude de Chamfort. Quelles que soient les raisons que l'on puisse avancer, Chamfort, comme beaucoup de sa génération, présente ce double visage de héraut et de victime de la Révolution. Dans ses réflexions, il prévoyait et analysait les difficultés que les hommes de 1789 allaient rencontrer : « L'Assemblée nationale de 1789 a donné au peuple français une Constitution plus forte que lui. Il faut qu'elle se hâte d'élever la nation à cette hauteur par une bonne éducation publique. » C'était, chez ce pessimiste, une vue optimiste, bien conforme à la confiance que les Lumières avaient dans les pouvoirs de la pédagogie.

La réflexion de Chamfort sur la Révolution ne procède que par coups de « sondes ». L'eût-il voulu, il n'eût guère le temps de donner à ses pensées une forme plus synthétique. Cette réflexion d'ensemble émane de ceux qui se sont davantage tenus en marge, ce qui ne veut pas dire pour autant qu'elle soit forcément anti-révolutionnaire.

Mme de Staël (1766-1817) et B. Constant (1767-1830). — Particulièrement intéressante nous apparaît la pensée de Mme de Staël qui jamais ne renia la Révolution, tout en étant outrée par les atrocités dont elle fut le prétexte, et en faisant appel à la sensibilité publique lors du procès de la reine *(Réflexions sur le procès de la reine, par une femme)*. Après la chute de Robespierre, dans ses *Réflexions sur la paix intérieure* (1795), elle entend sauver la Révolution contre ceux qui évoquent la Terreur pour la condamner en bloc. Sa réflexion politique se poursuit à travers *De l'influence des passions sur le bonheur des individus et des nations* (1796). *Des circonstances actuelles qui peuvent terminer la Révolution et des principes qui doivent fonder la République* (1798, publ. 1907) peut apparaître comme une tentative de gagner les bonnes grâces de Bonaparte, mais c'est autre chose que de l'opportunisme. A ce moment-là, effectivement le « guerrier intrépide » semble seul capable de consolider les conquêtes idéologiques de la Révolution, mais alors comme toujours, Mme de Staël refuse la dictature militaire. Son opinion ne variera pas. Ce n'est cependant qu'avec plus de recul et à la fin de sa vie qu'elle donnera à sa réflexion sur la Révolution toute son ampleur et son développement dans *Considérations sur les principaux événements de la Révolution française* (publ. posthume, 1818).

A Coppet, chez Mme de Staël, Benjamin Constant écrit *De la force du gouvernement actuel de la France et de la nécessité de s'y rallier* (1796). Il est vraisemblable qu'elle y collabora directement ou par la stimulation intellectuelle qu'apportait à Benjamin sa conversation. En 1797, il est l'un des fondateurs du Cercle constitutionnel et publie *Des réactions politiques*, *Des effets de la Terreur*, puis, en 1798, *Des suites de la Contre-Révolution de 1660 en Angleterre*. Le 24 décembre 1799 il est élu au Tribunat.

Quoique très proche de l'événement, le groupe de Coppet possède cependant par rapport à la Révolution la distance nécessaire pour pouvoir porter un jugement équilibré. Le libéralisme qui y règne écarte les analyses simplificatrices et réductrices. Or, ce libéralisme qui permet de voir la Révolution dans des perspectives suffisamment larges, il est né justement, en grande partie, de cette conjonction entre les Lumières et la Révolution qui constitue l'originalité et l'intérêt de ce groupe ; il cherche à conserver les acquis de la Révolution, en réclamant un régime représentatif, loin des excès du jacobinisme, mais aussi de la contre-Révolution. Intéressant pendant toute sa durée, ce groupe d'écrivains l'est peut-être particulièrement à ses commencements, à ce moment qui sépare la fin de la Terreur de brumaire, où renaît la liberté, de courte durée hélas, entre la tyrannie de Robespierre et celle de Napoléon.

Bonald (1754-1840) et Maistre (1753-1821). — Ce temps est celui des bilans, celui où l'on passe de la Révolution à l'histoire de la Révolution, mais elle est trop proche pour ne pas entraîner une âpre polémique. La pensée contre-révolutionnaire prend tout son essor.

En 1796 paraissent la *Théorie du pouvoir politique et religieux dans la France civile* de Bonald et les *Considérations sur la France* de Joseph de Maistre. Nous avons vu plus haut les aspects politico-religieux de ces penseurs. Bonald figure à bon droit comme un des philosophes fondamentaux de l'émigration. Sa *Théorie* fut condamnée et mise au pilon ce qui n'enleva rien, au contraire, à son retentissement. Il publiera en 1800 son *Essai analytique sur les lois naturelles de l'ordre social* et en 1802 sa *Législation primitive*. Il ne s'engagera dans l'action politique qu'avec le retour des Bourbons. Il a fortement contribué à l'édification de l'image de la Révolution à l'époque de la Restauration. Joseph de Maistre éprouve devant la Révolution, à la fois haine et fascination. Mystique, il ne peut se garder d'une certaine admiration pour cette autre mystique. Il tente une explication globale, métaphysique de ce phénomène qui l'effraie et l'attire. La Révolution devient le plus bel exemple dans sa philosophie de l'Histoire, de la loi providentielle de la régénération par le sang. Dès 1795, Saint-Martin dans ses *Considérations politiques, philosophiques et religieuses sur la Révolution française* avait avancé l'idée du caractère providentiel de la Révolution ; mais sans exploiter cette idée dans le sens aussi politique que Joseph de Maistre.

Chateaubriand. — Une place toute particulière doit être faite à Chateaubriand qu'il serait tout à fait regrettable de ramener à la pensée contre-révolutionnaire de l'émigration. *L'Essai sur les Révolutions* est de 1797. Chateaubriand est alors un jeune émigré à Londres, mais un philosophe qui entend bien rester fidèle à l'enseignement des Lumières. Il est nettement anti-religieux et l' « exemplaire confidentiel » de l'*Essai*, avec ses *marginalia* va encore beaucoup plus loin dans l'audace et dans la négation que l'édition originale. Nous sommes loin du *Génie du Christianisme* qui pourtant, dès 1799, est déjà en partie composé. L'intérêt de l'*Essai* est multiple — outre la curiosité que peut susciter ce visage moins connu de René. Fidèle aux idéaux de la Révolution, mais victime de ses violences, défenseur des émigrés dont il fait partie, Chateaubriand qui connaît bien l'Angleterre et ses orateurs (Fox, Burke) n'est alors ni républicain, ni monarchiste d'Ancien

Régime. Il se dit « monarchien », veut une monarchie parlementaire. Comme Mme de Staël à ce moment-là, il n'est pas encore un adversaire de Napoléon ; il considère que Bonaparte pourrait permettre une nécessaire réconciliation des Français.

L'intérêt de l'*Essai* consiste aussi dans la largeur de la réflexion qu'on y trouve déjà. La Révolution française est replacée dans toute une lignée de Révolutions : celles d'Athènes, de Sparte, d'Angleterre. Ainsi le jeune émigré trouve dans les dimensions du Temps, le recul nécessaire pour l'analyse. On voit apparaître chez Chateaubriand cette philosophie et cette poésie de l'Histoire qui lui inspireront les plus belles pages des *Discours*, des *Essais historiques* et des *Mémoires d'Outre-Tombe*. Son idéologie ne sera plus la même, alors il sera devenu le chantre de la Restauration, mais il est trop intelligent pour jamais vouloir rétrograder vers l'Ancien Régime, et défendra la liberté de presse avec des accents qui ne sont pas si éloignés de ceux des premiers orateurs révolutionnaires auxquels il est d'ailleurs redevable d'une tradition de grande éloquence.

On voit la complexité, la richesse de cette première réflexion sur la Révolution dans les années 1795-1799. Son intérêt provient à la fois de la qualité des écrivains, mais aussi de leur situation historique si proche encore de l'événement. Bientôt d'autres images de la Révolution vont apparaître avec la génération romantique, celle des historiens Michelet, Thiers, Louis Blanc, Buchez, Cabet, Lamartine ; et plus tard Taine, Jaurès. Celle des poètes chez Vigny, chez Victor Hugo. Le Romantisme, grand creuset où l'imagination et la recherche historique se croisent (Michelet est autant poète qu'historien) va construire le mythe de la Révolution, ou plutôt les mythes contradictoires, contrastés.

« Chaque année, écrit Michelet dans sa *Préface* de 1847, lorsque je descends de ma chaire, que je vois la foule écoulée, encore une génération que je ne reverrai plus, ma pensée retourne en moi (...). J'interroge sur mon enseignement, sur mon histoire, son tout-puissant interprète, l'esprit de la Révolution (...). En lui seulement la France eut conscience d'elle-même (...). Là se garde toujours pour nous le profond mystère de vie, l'inextinguible étincelle. » Chaque génération désormais ne se construit qu'à partir de l'image qu'elle se crée de la Révolution, de cette énigme, de ce logographe dont l'impossible lecture n'a pas fini de nous fasciner.

TABLE DES MATIÈRES

Imprimé en France
Imprimerie des Presses Universitaires de France
73, avenue Ronsard, 41100 Vendôme
Juillet 1988 — N° 33 685